SCRIPTORES COPTICI

SERIES SECUNDA. — TOMUS V.

SINUTHII OPERA

CORPUS
SCRIPTORUM CHRISTIANORUM
ORIENTALIUM

EDITUM CONSILIO

UNIVERSITATIS CATHOLICAE AMERICAE

ET

UNIVERSITATIS CATHOLICAE LOVANIENSIS

SCRIPTORES COPTICI

SERIES SECUNDA

TOMUS V

VERSIO

MDCCCCXXXVI

SINUTHII ARCHIMANDRITAE
VITA ET OPERA OMNIA

IV

INTERPRETATUS EST

H. WIESMANN

PARISIIS

E TYPOGRAPHEO REIPUBLICAE

MDCCCCXXXVI

48. De bonis et malis operibus.

. . . . . .] * iustus est *et* hospitalis. Hi autem suas ipsorum urbes * p. 1. incolunt seque appellant populum Dei, cum opera perficiant Sodomae et Gomorrhae *habitantium.*

Num *sacrae* litterae solis istius ætatis loquuntur hominibus? An non omnibus omnium temporum *hominibus* vaticinantur? Procul nos quidem a Sodoma et Gomorrha absumus, verumtamen istarum peccata committimus, maxime violentiam, quacum rapinae coniunctae sunt. Quae quidem ita dixi, quandoquidem omnes peccamus et pudore magnorum, quae Dominus Deus in nos semper confert, beneficiorum suffusi sumus. Ipsi autem nostrorum, quae perpetramus, malorum videmus multitudinem.

Sed ausculta, ut misericordias Celsissimi te doceam. Deus enim eiusque Christus, quoniam bonus est, opera manuum suarum diligit; odit vero peccatum ne*que tamen* ullam vult animam perdere humanam. Rursus autem nos etiam videt a peccato non desistere. Istas duas urbes et quae circumiacebant omnia diruit, ut ceterae urbes omnes et qui toto sunt orbe terrarum, ut scriptum[1] est, pertimescant, quia malefacturis ista constituit documenta. Ergo ne*que* animum advertimus ad ea omnia, quibus Deus nos admonet, ne*que* perpendimus nos, etiamsi incendium illarum hoc nunc loco effugiamus, eo loco, ad quem migrabimus, servatum non iri. Hac autem ratione per benignitatem suam modo *ille* quidem terram aliquam molestiis * docet, modo *autem* urbem aliquam castigat, si forte * p. 2. ceterae paenitentiam agant. Animum tu adverte ad *sacras* litteras, iam cognosces, quibus in rebus omnibus Deus nobis provideat. Cum pace nos ad se vult venire; inimicitias autem nobis struimus in *eam* horam, qua in eius tribunali stabimus. An vero magnum negas esse scelus, quo se incolae Sodomae et Gomorrhae astringant? An ignorant omnes, qui Iesum timent, Dominum eos pro suo merito perdidisse? Ergo intellege omnibus, qui hoc delictum admittunt, ignem gehennae paratum esse, maxime vero iis, qui scientia gloriantur et quemquam se *ipsis* negant esse sapientiorem. Profecto quid est scientia eorum, qui istas res nefarias audent committere? Pulvis

[1] *Ps.* LXVI, 8 (?).

enim est eorum scientia et exsecrata ipsorum sapientia. Num iniuria aut ..... me non praevenisti, absit!

Et quomodo respondebit iis, qui die iudicii dicent : «In nomine tuo prophetavimus et daemonia eiecimus et in nomine tuo virtutes multas fecimus»[1]? Cur hoc iis nuntiabit : «Non novi vos» vel : «Discedite a me»[2]? *An* non utique propter eorum delicta, quae nullo praeter Deum conscio clam committunt, ut, priusquam Deus de *rebus* nostris occultis iudicaverit, omnem fugiamus nequitiam? Poterimusne omnino stare? devitabimusne, ne illud «non novi vos» nobis eveniat? Animadverte enim eum non dixisse : «Hi vel illi», sed : «Multi, inquit[3], dicent mihi illo die». Non multi ex iis, qui
* p.3. ipsum * ignorant, verum multi de iis, qui in nomine eius gloriantur. Aliud enim est palea manifesta et herbae *inutiles*, quoniam ad ignem comparatae sunt, aliud autem id, quod homines existimant esse triticum, cum tamen palea potius sit iudicio eius, in cuius manus incidemus, Domini Iesu Christi, qui quidem homines fraudulentos et simulatores comparavit sepulcris istis incrustatis, quae foris illa quidem speciosa sunt[4], interiora autem *eorum* reticere quam enarrare praestat.

Nomen igitur et vestitus quid nobis afferre poterunt castitate carentibus? Ubi sunt fructus ipsis convenientes i. e. dignae illae, quae regi Christo dono dentur, virtutes? Nomina enim et vestitus et coronae usque ad mortis tantummodo horam pertingunt. Ne*que* nomen neque vestitus nos iuvare poterit. More enim omnium hominum ad Deum migrabimus, *cum* nos, qui nomen et vestitum gerimus, tum reges omnesque in dignitatibus divinis constituti. Qualis enim est ratio eorum, quibus opes obtigerunt, — si*ve* ad beneficentiam eas converterint sive facere *id* omiserint, utique eas relinquent et decedent, ut aut gratiam a Deo consequantur, eo quod largitores fuerunt liberales, aut aliis coërceantur suppliciis, eo quod non fuerunt humani — talis est ratio nostra : nomina et vestitus deponemus et decedemus. Nos quidem si, quoad ea gesserimus, ea quae decent fecerimus, defendent; sin autem ea quae dedecent fecerimus, nos condemnabunt. Hoc solum loco distinctio est ex nomine et vestitu. Iustis *illis* quidem vere gloriam afferunt eorumque iustitiam reddunt illustrem; perversis vero, etiamsi ipsis quoque

[1] Matth., vii, 22. — [2] Ibid., vii, 23. — [3] Ibid., vii, 22. — [4] Ibid., xxiii, 27.

gloriam dent, at per fraudem *dant,* cum opera nostra * indicent * p. 4. haud congruentia. Eo autem, quem exspectamus, loco homines e nomine ac vestitu illustres non sunt; qui illustres sunt, illustres sunt ex actionibus suis honestis. Eos vero si e nomine quoque dicere volumus esse illustres, dicemus animis nostris confisi. Si *vitae cursum* bene conficiemus[1] sicut omnes, qui voluntati Dei obtemperaverunt *et* principatum tenent, illustres eos ibi esse dicemus ex operibus, illustres e nomine, imprimis prophetas et apostolos omnesque sanctos. Ibi ei solum, qui opera exsequentur nomini *congruentia,* erunt beati. Qui vero opera nomini *convenientia* edere non solum praetermiserint, verum res nomini abominandas *et* quas facere non liceat peregerint, ipsis ibi miseriae erunt.

Ne*que* rex neque principatus, nullum genus hominum in caelis dominatur praeter solum Deum eiusque Christum Dominum *et* caeli terraeque regem. Qui ex operibus suis bonis digni erunt, ipsi vitae aeternae tenebunt imperium. Qui cum Christo mortui erunt, iidem cum Christo vivent[2]. Qui labores cum Christo sustinuerint, iidem cum eo gloriam consequentur. Qui perseverabunt non in nomine solum, verum in fide et operibus atque etiam in aliis sollicitationibus omnibus, illi cum Christo regnabunt; ne*que* tamen ei aequales sunt, sed ipse Deus et rex est. Sin autem Christi filii sumus regis, reges nos sumus. An quisquam magis rex erit, quam qui Christo probabuntur, maxime qui regni eius heredes erunt? Quis enim heres erit regni caelestis.* nisi erunt reges? Num quis rex est praeter * p. 5. eos, quibus non est dominus ibi nisi Deus Christus Iesus eiusque pater? Num alius est rex, nisi qui remotus est ab ira ventura? Num aliud est regnum nisi regnare in vita aeterna? Visus enim faciei alicuius angeli vel sancti cuiuspiam *visu* regis ibi iucundior est. Non*dum* tamen dixi procreatoris nostri visum coram praesentis : Dominus rex Christus et regis filius lectissimus est, neque rex alius est sine hoc dono; nam qui digni erunt, qui eum videant gloriosum, iidem gloriam ab eo consequentur.

Quibus autem magnae hae gratiae ibi contingent, nisi iis, qui militiam in exercitu Christi regis capessiverint *et* sumpto sibi fidei scuto[3] ad pugnae locum (?) profecti omnes impietates oppugnaverint, ne *istae* in se dominentur? Qui a peccati servitute liberi fue-

[1] Fortasse legendum est ⲉⲩϣⲁⲛϫⲱⲕ «conficient». — [2] *Rom.*, VI, 8. — [3] *Eph.*, VI, 16.

rint, iidem sibi ab omnibus liberi erunt afflictationibus. Qui servi fuerint impuritatis et improbitatis, ita ut mors eos inde vix separet, in eosdem omnes ibi dominabuntur miseriae. Quid iniuriis delectati sumus, quibus omnibus facimus nobis solis iniuriam? Ne a Deo eiusque Christo ob gaudium et voluptatem falsam atque impietates nos abalienemus neve inimicitias cum sanctis eius suscipiamus! Si Deus a nobis vultum averterit, neminem scimus nostri, dum vivimus et cum ad eum accedemus, rationem esse habiturum. Qui sunt ex iis, quibus Iesus iratus est vivis et morientibus, in quos universus ibi iustorum coetus ira non exardescat?

* p. 6. *Si quod peccatum homines prius quam gratia ac vocatio occupat, nihil est nec difficile ipsos si paeniteat eo liberari. Sin vero impietas post vocationem et gratiam et nomen *acceptum* et sacra etiam, in quibus sunt, loca *occupata* in homines dominatur, eam[1] effugere eos difficile est. Iram autem eos effugere divinam etiam difficilius est. Iudae enim huiusmodi *homo* est imago. Ipsum nomine distinctum et ad undecim apostolos ascitum et pane refectum satanas occupavit et diabolus in eam mentem impulit, ut dominum suum traderet[2], poena aeterna eum affecturi[3] ipsum et eos, quibus eum tradidit, pontifices et sacerdotes omnesque eos, qui ferarum ritu trucidantes manus Domino iniecerunt.

Nonne severe haec dico? Et illos, quod nunc quocumque modo sunt in iis doloribus, in quibus sunt, miseros deploro. Quantum id, quod fecerunt, sibi ipsi succensent et semet ipsos exsecrantur ob animi caecitatem! Re vera facta est mensa eorum ipsis in laqueum et in tendiculas et in scandalum et in retributionem illis[4]. Ne*que* enim visco in mensa sua carebunt, quoniam omnino oportet mendacia eos proloqui, cum ei assidentes *et* panem suum comedentes «Non est, inquiunt[5], Deus!». Porro autem de lege animi eorum contaminati dicam mensam eorum et laqueos et retia, quibus capti sunt, doctrinas eorum esse et praecepta, quae ad Domi-
* p. 7. num interficiendum nitentes statuunt. Ne*que* enim uno * insidiator instrumento eis, quibus insidiatur, insidiari solet, verum multae sunt eius machinae. Ob eam quoque *rem* legem et prophetas vocabo eorum mensam : tantum afuit, ut Dominum ex iis cognossent, ut eum ignorarent, quoad retributionem suam acceperunt.

[1] Numerus singularis loco pluralis videtur legendus esse.— [2] Cf. Ioh., xiii, 2. — [3] scl. satanas et diabolus, vel : ut poena afficeretur aeterna ipse et ii.... — [4] *Ps.* lxviii, 23; *Rom.*, xi, 9. — [5] *Ps.* xiii, 1.

An vero alia restis est, alius laqueus, aliud viscum praeter eorum exclamationem Pilatum procuratorem perturbantium, qui : «Nos, inquiunt [1], legem habemus et secundum legem nostram debet mori, quia filium Dei se fecit»? Sed ne hac *re* quidem acquieverunt, verum : «Si non esset, aiebant [2], hic malefactor, non tibi tradidissemus eum». Sane impietatem suam patefecerunt abiectam et iram, quam evangelium significat super eos mansuram [3]. Addiderunt autem : «Scimus hunc hominem peccatorem esse» [4], et : «Tolle, tolle, crucifige eum» [5], ut ipsi a myriadibus myriadum inenarrabilium caelestibus audirent : «Tolle, tolle eos, tolle istos nefarios, poena eos affice, poena eos affice aeterna!»

Hi enim sunt, de quibus Dominus Iesus [6] loquitur : «Cum loquetur, inquit, mendacium, ex propriis loquetur». Videtis, ut eos lugere deceat, *ita* etiam dedecere de eis dolere. Cum enim quae dicturi essent sciret, iis antea dixit [7] : «Quis ex vobis arguet me de peccato?» Sicut etiam calumniam eorum arguit * apud sanctum prophetam Isaiam, cum : «Quis mecum, inquit [8], litigabit? Prodeat obviam mihi simul! Et quis mecum ex iure aget? Accedat ad me!» Et praeclare dixit [9] : «Vos in impietatibus vestris omnes veterascetis sicut vestimentum et incredulitate vestra quasi tinea consumemini». Et rursus [10] apud prophetam sanctum Ieremiam : «Quid invenerunt patres vestri in me iniquitatis, quod longe a me recesserunt?» Vere enim qui de Israel erant, a Deo saepe recesserunt modo *illi* quidem simulacra adorantes, modo *autem* sanctos occidentes. Ad extremum vero manus regi intulerunt universitatis impietatem suam aperientes et perversam principum suorum mentem, quorum quidem sancti detegunt egestatem, cum : «Periit, inquiunt [11], lex a sacerdote et consilium a senioribus». Patet enim canum ritu Dominum circumdantes [12] legem, quam loquuntur, eos amisisse.

*p. 8.

Ne quis id audiat, quod apostolus [13] dixit : «Numquid *sic* offenderunt, ut caderent? Absit!» neve existimet miseri illi fore ut a sententia de ipsis lata : «Periit lex ab iis et consilium [14]» liberentur. Hoc enim de iis, qui credendo in Christum salvi erunt, apostolus dicit, sicut etiam * dictitat hac ratione universum Israel ser-

*p. 9.

[1] Ioh., xix, 7. — [2] Ibid., xviii, 30. — [3] Ibid., iii, 36. — [4] Ibid., ix, 24. — [5] Ibid., xix, 15. — [6] Ibid., viii, 44. — [7] Ibid., viii, 46. — [8] Is., l, 8. — [9] Cf. ibid., l, 9. — [10] Ier., ii, 5. — [11] Ez., vii, 26. — [12] *Ps.* xxi, 17. — [13] *Rom.*, xi, 11. — [14] Ez., vii, 26.

vatum esse. Salvi autem erunt ii, qui ab infidelitate Iudaeorum se amoverint et in Christum vere crediderint. Sic enim de iis, qui incredulitatem non dimiserunt, dicit[1] : «Si fuerit numerus filiorum Israel tamquam arena maris, reliquiae salvae fient». Et iterum[2] : «Reliquiae quaedam secundum electionem gratiae factae sunt». Item ii, de quibus Dominus[3] testatus est : «Reservavi mihi septem milia virorum, qui quidem non curvaverunt genua ante Baal». De iisdem loquitur[4] : «Quod ad quaedam misericordiae vasa attinet(?), quae quidem ad misericordiam referuntur, misericordia Dei ea circumdabit et sequetur»

Qui irae obnoxii sunt, capientur neque effugient i. e. principes isti et corruptores turbarum. Et licet Deus iis *hominibus* de plebe, quos paenituit, ignoscat, istis nequaquam ignoscet, quoniam ipsi eos corruperunt, ipsi blasphemarunt in Spiritum sanctum[5]. Utinam lapis molaris impositus esset circa colla eorum et in profundum mare demersi essent[6]! *Id* iis et Iudae quoque utilius erat, quam ut maledictionem diligerent et *ea* veniret eis et benedictio, cum eam nollent, ab eis recederet[7]. Merito recessit ab eis benedictio. Vere enim pro sua insolentia adversus Dominum convenerunt[8] alias *illi* quidem mendacia in eum prodendo, alias autem etiam cavillationes iactando, cum verba proferrent impia *et* capita quaterent *et* dicerent[9] : «Vah, qui destruis templum!» Sane
* p. 10. miror, * quod ipsum modum blasphemandi[10] evangelium non omisit consignare, *id quod est* documento Christum eis non condonare ullum, quod in ipsum ediderint, verbum aut ullam, quam in ipsum fecerint, rem. Quapropter dicunt : «Vah»? Non sine restrictione quidam : «Procede» inquiunt extrudentes eum et ad crucem trahendo deducentes, alii vestimenta ei exuentes et manus *distendentes*, ut ligno eas suffigant, alii acetum ei porrigentes *et* minis usi impellentes ad bibendum, alii eludentes, cum : «Qui destruis, inquiunt[11], templum *et* in triduo aedificas». Haec et alia isti vere dementes, ut eum ludificarentur, proferentes malitiam inter se dispertierunt, isti vere impii, quorum consilia radicitus sublata sunt, vere impii, quorum viae Domino detestabiles sunt, ista vera malitiae

[1] Is., x, 22; *Rom.*, ix, 27. — [2] *Rom.*, xi, 5. — [3] III *Reg.*, xix, 18; *Rom.*, xi, 4. — [4] Cf. *Rom.*, ix, 23 (?). — [5] Cf. Marc., iii, 29. — [6] Luc., xvii, 2. — [7] *Ps.* cviii, 18. — [8] *Ps.* ii, 2. — [9] Matth., xxvii, 40; Marc., xv, 29. — [10] *Vel* : quod id, quod «vah» dixerunt (A.). — [11] Matth., xxvii, 40; Marc., xv, 29.

vasa (?), in quae nulla exsecratio e *sacris* litteris egressa non irruit, isti vere impii, quorum ora insignia maledicta in Dominum evomuerunt, servi inutiles i. e. contemptores, per quos multa scandala exstiterunt *et* in quos eorum, quos corruperunt, condemnatio et sanguis recident, isti, qui sententiam apud Dominum nanciscentur perniciei aeternae.

49. * De malis operibus sive de gladio prophetico. * p. 11.

XXII. Pariter etiam de operibus toto orbe terrarum haud bonis. Nonne si omnis homo fallit[1] omneque os mendacium proloquitur, Deum necesse est esse veracem? Nonne hoc nullo prorsus pacto fieri potest, ut mentiatur? Nonne enim nostra peccata et delicta nostra caelum terramque concusserunt? Quid gladius facit erectus sive destrictus *et e vagina* eductus et agere ad arbitrium suum paratus? Licet in vaginam redire voluerit sive noluerit, rediit utique, non quo satiatus esset, verum quia se continuerat ad voluntatem hominis, a cuius hoc latere constiterat. Videt[2], et quid videt? Aut cuiusmodi est gladius eiusque vagina vel *homo* eo accinctus vel longitudo eius ac latitudo et splendor sive fulgor aut sedes, in quibus fuit? An homo, cum quo sive apud quem irrupit, non dicet aut, etiamsi dixerit, aliter dicet?

Noli(te) putare, qualis gladius sit, cuius figuras et speciem contemplari in felicitate ponendum est, talem esse eum gladium, de quo propheta[3] locutus * est : «Gladius, inquit, gladius, acuere et * p. 12
irascere, ut victimas caedas! Acuere, ut splendeas! Para te ad eas solvendas! Percute! Sperne et remove omne lignum». Hic quidem in manum traditur percussuri; ille vero ipse apprehendit, uti dicitur : «Gladius acutus est et aptus, qui in manum tradatur percussuri»; ille vero ipse hominem apprehendit, cum homo ei traditus sit; quos ferit, per hominem ferit, non homo ferit per eum. *Neque* homo eum eo dirigit, ubi vult ferire; ipse potius eo, ubi ferire vult, hominem dirigit. Non homo per eum iratus ultionem exigit; ipse potius per hominem ab eis, quibus iratus est, poenas repetit, quandoquidem homo in manu illius est, non ille in manu hominis. Ipse quos ferit, eos usque tradit ei, qui in eius manibus est, ut ait[4]

[1] *Vel :* fallitur. — [2] *Vel :* venit (A.). — [3] Cf. Ez., xxi, 9-11 (LXX). — [4] Ps. lxii, 11.

quidam sanctus : «Tradentur in manum gladii». Ut autem hic per prophetam, ut acueretur, ad Domini praeceptum excitatus est : «Gladius, gladius, exacuere et irascere[1]», *sic* etiam reprehensus est, ut reverteretur e loco, quo feriebat. Continuo aliud iudicium in eum exercitum est, uti, cum in eos, quos feriebat, animadvertisset, iudicaretur sive animadverteretur, ut verbum : «Revertere, inquit[2], ne manseris eo loco, quo ortus es; in tua terra de te iudicabo». Nonne * p. 13. Dominus * mandaverat, ut caedes efficeret? Qua de causa, postquam ad caedes iam destrictus est, destrictus autem etiam ad consummationem, idem[3] dixit : «De te iudicabo; effundam super te indignationem meam et iratus ignem super te accendam tradamque te in manum barbarorum hominum *et* fabricantium interitum et igni eris cibus et sanguis tuus erit in media terra tua; nulla erit tui recordatio»? Hic non est locus sive tempus de hisce disserendi, sed potius aliqua ex parte exponendi formam sive naturam gladii, qui apparuit, *ut sit* documento iis, qui has improbitates in nobis committunt vel committent.

Neque est, qui ei dicat : «Feri», neque est, qui ei dicat : «Cessa ferire». Habet potestatem feriendi vel non feriendi nullo iubente; ipse potius iubet, cum non sit in potestate ferientis, sed per ipsum feriens sit in eius potestate. Soli oboedit Deo. Non ab alio e vagina extrahitur, semet ipse sua sponte e vagina exserit et sua rursus sponte in vaginam revertitur. Ne*que* e vagina emersit, ut usque ad expletam iram feriret, sicut ille de quo Dominus[4] dixit : «Destrictus est ad consummationem», vel[5] : «Eduxi gladium meum de vagina sua nec amplius in eam redibit», vel[6] : «Ad omnem portam * p. 14. traditi sunt gladio, ut iugularentur,* bene paratus est ad feriendum, bene aptatus est ad fulgendum. Vade, gladius, et acuere a dextra et a sinistra, quo*cumque* facies tua prospiciet». Illi dictum[7] est : «In tua terra de te iudicabo». Per hunc vero potius in totum orbem terrarum iudicium exercebitur et de omnibus per eum iudicabitur. Benedictio et maledictio, ira et gratia in facie eius sunt gemina, hinc inde; per se[8] splendet in iudicio iusto, cum Deus iram suam in eos, qui operibus suis ipsum irritant pestiferis, effundere soleat. Eius causa idem ab ira consuevit desistere. Gratia quaedam est eius ex vagina proventus, gloria quaedam eius illuc reditus.

[1] Ez., XXI, 9. — [2] Ibid., XXI, 30. — [3] Ibid., XXI, 30-32. — [4] ... — [5] Ez. XXI, 5. — [6] Ibid., XXI, 15 et sq. — [7] Ibid., XXI, 30. — [8] Vel : ideo.

Destrictum eum conspicere formidolosum est; iucundum est eum in vaginam videre redeuntem. Ardor oritur, cum ad caedendum intentatur, tranquillitas, cum e locis, ubi a se caedendos percutit, revertitur. Vis est in eius comprehensione, firmitas in eius cursu. Misericordia, indulgentia, lenitas, mansuetudo, spes omnis rei bonae in dispositione sive constitutione eius universa. Hisce autem idem amictus est et ex his aliisque, quae huius modi sunt, omnibus constat eius vagina.

Ipsum eiusque vaginam obtegunt arcana. Fides in eius mysterio est. Solis e suo ascensus loco ortus, antequam sublime fertur vel antequam diffunditur, est in eius proventu, quoniam nulla est radiorum * fulgoris eius tolerandorum facultas. Ne*que* patientia aut etiam *p. 15. tolerantia est in eius apparitione; non apparuit, ut eos, qui iis in locis, quibus substitit, versantur, ulcisceretur. Non fiet, ut insontes simul cum peccatoribus percutiat, sed ut potius eos, qui illis locis deliquerunt, ultioni committat diebus ultionis istis, quos Dominus in evangeliis commemoravit: «Dies enim, inquit[1], ultionis hi sunt» Nullus alicunde poterit gladius se amovere, nisi amoveatur ab iis, penes quos est facultas. Hic vero contra non modo ex semet ipso habet eo, quo vadere voluerit, procedendi potestatem, verum etiam eum, per quem percutit vel qui per ipsum percutit, aufert e locis, quibus inest, in alia loca amovens, et idem eum e locis, quo rapuit, reducit *aut* suis in locis relinquit. Spiritus vitalis in eo non est sicut in iis animalibus, super quae erat superne gloria Dei Israelis secundum id, quod propheta in rotis, quae subter eum incedunt, spiritum vitae inesse[2] significavit. Sed ipse est vita universi et omnes spiritus vitales ab eo facti sunt. Scientia et ratio acies eius sunt, caritas in eius ornatu sive decore. Deus omnipotens ipse est *et* longitudo eius et latitudo, quibus modus non statuitur; nam si vult magis elevari, elevatur; item * si vult dilatari, dilatatur; si vult coartari, *p. 16. coartatur; si vult imminui, imminuitur. Non apparebit secundum modos suos — neque enim in universo suo apparatu modum habet — verum secundum modos eorum, qui ferre poterunt ex videntibus[3] ipsum. Iis locis apparet, ubi percutit et ubi medetur, quandoquidem ferit, idem autem medetur. Vulnerat *et* sanat eos, quos ob parendi dedignationem percussit; medicinam autem iis quoque adhibet, quos inimicus sagittis suis debilitavit. Capulus eius sive manubium

[1] Luc., xxi, 22. — [2] Ez., i, 20. — [3] Vel : videntes (A).

lux est oculorum iis, qui probitatem spectant ac veritatem omneque opus pietatis. Loca, quibus versatur vel ubi suspensus est, *sacrae* litterae sunt vel leges constitutae, quibus nos homines salvi fiamus. Promptuaria, in quibus omni tempore reconditus est, sunt caeli caelorum.

Homo penes eum instar nihili est sive nihil apud eum valet, cum eatenus in manibus hominis sit, quatenus *hic* per ipsum ferire poterit. Acies ipsius maxime propria est; ab aliis non exacuitur, acuuntur tamen per eum gladii omnes. Est in homine, qui eum indagat; nisi manifestum se facit, minime eum videt. Proximus est homini ipsum investiganti, idem autem ab eo remotus. De ipso ita dictum[1] est : «Vivus est sermo Dei et efficax et penetrantior omni gladio ancipiti». Ab eo sic praeceptum est, ut milites Christi «galeam salutis sume-
* p. 17. rent * et gladium spiritus, quod est verbum Dei»[2]. Fortes in bello per eum adversarios humi prostraverunt, sicut alacres docuerunt in pugna se sequi ad peccatum sibi obluctans concidendum, ut ipsi quoque utpote patrum suorum filii dicant : «In te inimicos nostros confodiemus et in nomine tuo spernemus adversus nos surgentes»[3]. Omnes sancti, cum ipsis praesto esset, omnibus rebus bonis abundaverunt. Ne*que* homines, ad quos, quoniam sedes ei domi suae para(vera)nt, suas adeundi vias habet, erunt in egestate, neque unquam pudore suffundentur. Quem in locum cumque introspiciet, lucem afferet eius spectatio. Non percutit a dextera atque a sinistra ad modum eius, cui dictum[4] est : «Acuere a dextra et a sinistra», quoniam quemadmodum a dextra, eo modo sunt a sinistra constituti, iis locis, ubi quidem ferire ille iussus est. Hic vero contra, qui a sinistra sunt, eos percutit propter opera ipsorum mala; qui a dextra sunt, eos tuetur atque defendit pro operibus ipsorum bonis. Illi dictum[5] est : «Revertere ! Ne manseris eo loco, quo ortus es», quia minime perseverat. Contra autem omnes sedes sacrae, in quibus hic confodit sub caelo, destruentur atque auferentur; ipse vero ab aeterno in aeternum manet. In ipso omnes iudicabuntur et omnes
* p. 18. condemnabuntur per eum. Hoc verbum aliaque similia * testantur vindictam eius ex iracundia *profectam* : «Nisi conversi fueritis, gladium suum acuet»[6]. Quid ut faciat, acuet eum ? Bestias ut caedat an ut percutiat homines ? Quia a nostris nos non avertimus peccatis. Itaque

[1] *Hebr.*, IV, 12. — [2] *Eph.*, VI, 17. — [3] *Ps.* XLIII, 6. — [4] Ez., XXI, 16. — [5] Ibid., XXI, 35 (LXX). — [6] *Ps.* VII, 13.

si nobis curae vel cordi est, quia oportebat dicere : «Gladius ille ubi constitit sive quo loco apparuit?» cur quaeremus per hominem? Consulamus, vos vel nos, impietates nostras, quas in domo et sacrariis Dei et in urbibus ac vicis, in campis et in montibus et in pagis, in terris et toto orbe terrae committimus. Docebunt nos et plus sciemus. In sedibus quibusdam non solum propter eos, qui male agunt, moratur (*i. e. gladius*), verum ibi est etiam magis propter eos, qui bene faciunt; illos quidem ut vindicta persequatur sive vindictae committat; hos alteros ut misericordia prosequatur et misericordiae enixe permittat secundum testimonium illorum, quae de eo accepimus, verborum: «Nihil irascitur (*i. e. gladius*) iusto, sed impio» [1]. De illo dicitur [2] : «Contere brachium peccatoris et maligni». De hoc dicitur [3] : «Pauper igitur ad te confugiet, orphano tu es adiutor et viduae». Nemo unquam homo, cum hic gladius eiusque acies ex eo non sint, dixit : «Mortem in capita impiorum* praecipitasti, prorsus ad eorum colla usque vincula aptasti, capita potentium pro sua superbia praecidisti» [4], et «Benedictio Dei super caput iustorum» [5], et «Tu benedices iusto» [6]. Ipse igitur hic gladius est et qui ab eo distinctus non est — membrorum, quibus ut medeatur prospiciet, etiamsi pernicies in iis apparuerit pessima, conformatio rursus sive concinnitas elucebit lectissima. Membra, quae obliviscetur, per glebas humi decident vi perniciosa morbi, cuius magnus est aestus. Conclavia quoque, in quibus apparuerit, maxime splendebunt; in quibus vero latuerit, ea maxime obscurabuntur. Domus eas, in quas intraverit, etsi partes in iis dirutae sint, aedificabit et omnino renovandas curabit; e quibus abierit, eae funditus evertentur. Etenim eius aedificatio et eversio, en ecce in hoc volumine sunt, in hac parte.

*p. 19.

Felices sunt, cum quibus hic habet amicitiam; miseri, quibuscum gerit inimicitias. Immo vero nisi moderatus esset — indignationis iram coërcet — ita non acquiesceret. Si sumus ignari, quoniam homines sumus, qui scire nequeamus multa esse, in quibus hic morbus praevaleat, corporis membra, * eum quicumque novit venenorum instar anguineorum ea testatur pervadere. Cum his in membris quievit, in membris apparet aliis, quae in dolosum hunc inciderunt morbum, cuius plagae admodum sunt variae. In quibus eum esse, quis est, cui deceat credere, is, cui testimonium

*p. 20.

[1] ... — [2] *Ps.* x, 15 (sec. Hebr.). — [3] Ibid., x, 14. — [4] *Hab.*, iii, 13 et sq. — [5] *Prov.*, x, 6. — [6] *Ps.* v, 13.

tribuitur, annon ? Qui eum apparuisse in eis testatur, idem convertitur in eos qui in eum nondum delapsi sunt. Credere bonum est ei, cui testimonium datur, ne fiamus increduli; credere ei, qui testis est, melius est. Quid nunc opus est hcminem de hoc morbo interrogare, cum hic sciat vel illi ? Lucerna magis sole lucescet annon ? Aufertur lucerna, si solis lux intrat. Quis membris, in quibus hic morbus, est testis ? Aut quis est, cui testimonium perhibeatur ? *Haec* quaerere stultitia est; stultitia est dicturire, quis sit sive qui sint. Sapientia eorum, qui quaerunt et qui consuluntur, est scire, quid simus nos et quae nostrae sint res, priusquam vita nostra in inania intereat. Si minus, secundum id, quod diximus, angelus aliquis et spiritus videt vel potius alius constituit[1]. Quibus omnibus nonne maior est Deus ? Aut non universitate, ipso Gabriele plus videt ? Aut in manus angelorum potius veniemus quam in manus Dei incidamus ? *p. 21. *Et quin timemus? Qui enim Deum timent, ut omittant peccare, non modo angelum metuunt, ne se verberet atque enecet se scelera nefanda perpetrantes, sed etiam homines pavent vere fideles, vere parentes, quibus quidem curae est innocentia filiorum filiarumque et fratrum ac propinquorum; nam si homines animas filiorum filiarumque, fratrum sororumque auferentes crebri sunt, multi etiam sunt filiis filiabusque ac sororibus clam·invigilantes. Multi porro sunt, qui filios ac filias omnesque, qui audire volunt, homines observent atque custodiant. Nam innocentia omnis omneque bonum oboedientia circumscribuntur, et omnis impuritas malumque omne parendi continentur dedignatione. Sane nisi acquiescimus, morbus iste modum non habet. Neque loquendi de eo, ut frequenter diximus, est modus. Morbus usque ad extremum permanens animique ad consummationem dolor erit eorum, quos haec sollicitudo invadet pro tempore et pro re utpote prudentes in domo Dei omnipotentis inque communitatibus eius totoque orbe terrarum.

*p. 22.

50. *De patriarchis. I.

Pauca ad amicos socios monachos dicta.

Profecto de priscis nostris si recordor patribus, Deum mihi videor ignorasse. An mirum non est, ut pater noster Abraham *et* pater noster

[1] Fortasse legendum est ⲡⲉⲧⲱϣ (potius legit).

Isaac *et* pater noster Iacob uxores duxerint, pueros suos generaverint, mulieres cum filiis suis matrimonio iungant, filias nuptum collocent maribus, nuptiarum sollemnia iis celebrent, magnifica, si infantes auferant ab uberibus, instruant epula ? Ita *enim* scriptum[1] est : « Fecit Abraham grande convivium eo die, quo Isaac filius eius ablactatus est ». Dies agunt festos, epulantur, temperanter potant. Multa sunt iis cuiusque generis pecora, multum auri, multum argenti; amplae sunt eorum universae omnium copiarum opes. Ac Dominus Deus ut omnia ipsos doceat, cum iis loquitur victumque eis praebet. Domus eorum omnibus bonis refertae. Porro autem eius angeli eos custodiunt, ut Iacob : « Deus, inquit[2], qui pascit me ab adulescentia mea, angelus, qui eruit me de cunctis malis ». Neque solum multi in orbe terrae per eos beneficiis aucti sunt — semen eorum velut heredes nactum est multitudines hominum arenae *numero* aequales — verum etiam ii, qui ad Deum abeunt — de omnibus *enim,* qui e nobis christianis moriuntur cum reges tum sacerdotes tum etiam martyres, qui sanguinem suum profuderunt, id quod scriptum[3] est dicit[4] : *« Dabis eis requiem in sinu Abraham et Isaac et Iacob ». * p. 23.
Unde hi eis honores obtigerunt et hae tantae dignitates ? Nonne ex eorum in Dominum Deum fide et caritate et innocentia — sic *enim* Dominus iis dixit[5] : « Fac, quae mihi accepta sunt, et a peccatis cave, *iam* foedus meum tecum paciscar » — maxime vero ex eorum hospitalitate ? An non *eam* in universa eorum vita relatam videmus ?

Nos vero miseri inopes nos reddimus, sitimus, multas perpetimur aerumnas Dei causa haec nos subire dictitantes, ipsa *et* vestimenta vilia et alimenta, ita ut crebro ne aquam *quidem* ad satietatem usque sumamus, nedum vinum aut carnem aut alia multa. Aruerunt corda nostra, aruerunt ventres, aruerunt carnes : omnium generum peccata daemonis inimici in nobis utique non aruerunt. Saepe numero iuvat nos linguam ob sitim, cum quodammodo torrefacta sit, refrigerare, at calumniatur sive per eam calumniamur, murmuramus, pungimus, animos aliorum corrumpimus, aemulamur, odimus, litigamus, haec aliaque facimus detestanda.

Haec verba scio audire peracerbum esse. Beati igitur, quorum carnes Iesu causa aruerunt et ventres atque ora, sed postquam omne quoque malum in ipsis magis * exaruit ! Beati, quorum oculi Iesu * p. 24.

[1] *Gen.*, XXI, 8. — [2] Ibid., XLVIII, 15 et sq. — [3] Cf. Luc., XVI, 22. — [4] Vel : dicitur. — [5] Cf. *Gen.*, XVII, 1 et sq.

desiderio languerunt, quoniam diabolum occaecaverunt et caecus utique est ad eos, quibus adest Iesus.

Vae autem iis, qui obviam ei procedunt, dum in domos suas eum et in penetralia animorum suorum introducant, cum Iesus cum ipsis non sit. Si nihilo minus adest, in eorum linguis solum est, non in animis.

Gratiam, quamdiu ne peccemus nos sequitur, ne spernamus, laudem potius Deo tribuamus, qui quidem nos voluit esse nostri iuris.

Homines, qui a spiritibus malis tentantur, eos si possent, quominus in se intrarent, impedire, non sustinerent, quoad in ignem et in aquam conicerentur et ad terram sternerentur atque in ceteras, quibus eos affligere solent, magnas aerumnas [1].

Videtis neglegentes vos esse in satana eiusque malis conculcandis, dum servientes peccato multis saturemur miseriis, quoniam in nobismet id non exstinximus more eorum, qui corpus compescunt et peccatum in se exstinguunt, quoniam sobrii sunt et vigilant [2].

Bona sunt moenia urbi circumdata; verum nisi in eis vigilabitur, barbari eam capient sicut *urbem* iis nudam. Bona sunt homini, qui enititur, opera; sed peccatum eum, nisi in operibus vigilabit, spoliabit pariter atque eos, qui elaborare noluerunt, cum sese impuritati dederint, ut omnia flagitia committerent.

* p. 25. Civitas igitur aliqua, cui moenia sunt humilia * ac non admodum alta, si hostem suum impugnat et devincit, profecto ei, quae, etsi moenia eius sunt sublimia, capta est, pudori atque opprobrio est maximo. Illud dico : « Homo aliquis, cuius opera sunt actiones exiguae, si peccatum impugnat atque superat, pudori atque opprobrio est ei, quem, licet actiones eius multae sint, peccatum devicit ».

Oportet enim sane nos, o fratres carissimi, fideles esse ad mortem [3] usque omnique in pietate nos exercere [4], ut reprehensionis in sancto tribunali minas effugiamus eo die, quo in iudicio Dei temptabimur praesentibus ei omnibus angelis atque archangelis et cherubim ac seraphim *et* potestatibus et dominationibus et maiestatibus, qui sententiam exspectant venturam.

Qua re Servator : « Sint lumbi vestri, inquit [5], praecincti lucernis vestris ardentibus et similes este servis exspectantibus dominum

[1] Cf. Matth., xvii, 14; Marc., ix, 17, 21; Luc., ix, 39, 42. — [2] Cf. I Petr., v, 8. — [3] *Apoc.*, ii, 10. — [4] I *Tim.*, iv, 7. — [5] Luc., xii, 35-37.

suum, quando rediturus sit a nuptiis, ut, si venerit et pulsaverit, confestim aperiant ei. O beatos servos illos ! » Si homo res huius mundi creatas diligenter observat, animus eius *sacris* litteris de eis collustrabitur.

En homo hodie in urbe quadam dives, cui homines sciunt magnas esse opes. Si noctu dormit animumque relaxat, latrones veniunt, ut spolient eum remque eius domesticam auferant universam. Ingressi igitur si lucernam invenerunt in domo ardentem, quoniam lumen *illud* in domo viderunt, extimescunt, ne homines sint vigiles; etiamsi dormiant, *tamen* cum lumen in domo accensum sit,* se recipiunt. Eadem est, o fratres, condicio hominis, cuius in animo residet timor Dei. Sive dormit sive vigilat, latrones, si ad privandum eum veniunt, timor Dei in pectore eius insidens et angeli eum custodientes increpant, ut discedant, quemadmodum Iacob dixit[1] : « Angelus, qui eruit me de cunctis malis ». *p. 26.

Sinuthii.

51. De patriarchis. II.

Sinuthii epistula.

Abraham, pater noster, filios sibi cupiebat pari e Sara; et Sara filios sibi gestiebat gigni ex Abraham. Hoc igitur modo Dominus Deus Abrahamo filium concessit seni, cum Isaacum e Sara generaret grandi natu. Exstitit *ille* eis puer carissimus, etsi unus, decem milium instar puerorum, quippe cum iu[stus esset] oboediens*que* [patri], e cuius lumbis procreatus fuerat, tranquillaret autem etiam matris, quae eum pepererat, *animum*. Hac igitur ratione hereditatem patrum suorum consecutus est, sicut Abrahamo a Deo dictum erat[2]: « Hic ille, i. e. Ismael, heres tibi non erit; attamen ipsi quoque tua causa benedicam et eum mirifice augebo et gentem efficiam potentem *ac* magnam; qui vero ex lumbis tuis prodibit Isaac, is tibi heres erit ». Eam ipsam ob *causam* mater pueri, qui penes eam erat, divina instructa cognitione* ingenue dixit[3]: « Eice ancillam hanc et filium eius ! Non enim erit heres filius ancillae istius cum filio meo Isaac ». *p. 27.

Isaac Dominum rogitabat, cum filios desideraret sibi pari e Rebecca. Et Rebecca liberos gestiebat sibi procreari ex Isaac. Hac igitur ratione Dominus Deus obsecutus ad mentem eorum

[1] *Gen.*, XLVIII, 16. — [2] Ibid., XVII, 20 et sq. — [3] Ibid., XXI, 10.

omnibus petitionibus satisfecit, ut Esau et Iacob progignerent. Isaac autem suadente Iacobi matre Rebecca divinitus Iacobo benedixit, *et* Esau evasit servus Iacobi *sacras* secundum litteras [1] : «Maior, inquiunt, serviet minori», et rursus [2]: «Iacob dilexi, Esau autem odio habui».

Iacob autem filios avebat sibi pari e Rachel, sicut ei nati erant e Lia et ei procreati erant e Zelpha et Bala. Rachel vero filios cupiebat sibi progigni ex Iacobo et animo maerebat, ut imprudens per aegritudinis vim accusaret Iacobum : «Da mihi, inquit [3], liberos, alioqui moriar». Et Iacob animo maestus ei aiebat [4] : «Num ego Dominus sum, [qui] quidem privavit te [fruc]tu ventris tui?» Haec autem stomachosus dixit Iacob, quandoquidem et ipse desiderabat pueros sibi nasci e Rachel. Hac igitur ratione Deus eorum dolorem respexit, ut filios Iacobo procrearet ex Rachel, Iosephum et Beniamin. Et Iacob omnibus filiis suis benedixit auctoritate Domini Dei, qui quidem Abrahamum beneficiis ornavit et Isaacum et Iacobum et filios [Iacobi.

* p. 28. *(***Desunt** paginae quattuor, ubi Sinuthius de Anna, de matre Sampson prophetae, de Elisabeth **videtur** locutus esse.*)

Ideo stultitia in nobis est et caecitas, si quidam nostrum apud nos litigiosi et male parentes repudiant res, quas accusare queunt sive homines ipsis commendatos sive ministeria sive aliam rem aliquam bonam, quam ope divina inter nos cum animarum nostrarum salute praestare poterimus. Maior autem etiam dementia est malaque mentis caecitas, si quaedam e vobis praeoptant divinitus fieri steriles et litigiosae indocilesque recusant res, quas procurare possunt, sive homines sive ministeria sive aliam quampiam rem bonam, quominus Dominum veritae inter vos faciatis.

Sed si uxor cum marito secundum carnem matrimonio iuncta filios filiasque vult sibi gigni et si Sara et Rebecca et Anna et mater Sampsonis prophetae et Elisabeth, mater Iohannis, qui quidem ex quo erat in utero matris Spiritu sancto repletus [5] erat, si hae et aliae de priscis feminis sanctis Dominum inclamabant orantes atque obsecrantes, ne essent infecundae — si quaedam vestrum homines divinitus sibi concreditos repudiant, quam erunt condemnandae, quod praeoptaverint steriles esse et viduae !

[1] *Gen.*, xxv, 23; *Rom.*, ix, 12. — [2] Mal., i, 2 et sq.; *Rom.*, ix, 13. — [3] *Gen.*, xxx, 1. — [4] Ibid., xxx, 2. — [5] Luc., i, 15.

Abundant enim ab initio ad hunc diem usque parentes, quos sive mares sive feminas Deus sprevit, *quod operam in alios, ut filii filiaeque a Deo sibi fierent, conferre noluerunt. *p. 29.

Sed multi viri commoditati corporis intenti et superbia elati recusaverunt, ne operam in alios divinitus *commissos* conferrent, sicut quidam iis ipsis operam tribuerant. Et multae mulieres recusaverunt, quominus operam in alias divinitus *commendatas* conferrent, sicut quaedam iis ipsis operam navaverant. Et fastidio tumescentes et corporis commoditati indulgentes se voluerunt esse steriles Deumque animae suae vulvam instar infecundae occludere atque consilia doctrinae in nobis arefacere instar mammarum aridarum, ne extenderentur ad alios posthac nomine Dei instituendos[1].

Praeterea autem inde a principio usque adhuc abundant parentes, quos Deus sive mares sive feminas fortunavit, quod laborem in alios divinitus *commissos* insumere vehementer concupierunt, sicut prisci parentes nostri et prophetae et apostoli, qui quidem frequentium divinitus exstiterunt multitudinum parentes, et sicut Debbora[2] illa, quae iudex et parens in Israel evasit, et Holda[3] prophetis, ad quam quidem, ut Deum per eam consuleret, Iosias rex iustus misit, et sicut Anna[4], filia Phanuel.

Non id tempus est, ut parentes filiorum filiarumque divinitus *concessorum* dicant imprudentes: «Dominus eunuchis virginibusque locum dabit insignem[5] et famam filiis filiabusque meliorem»[6] et *quidam ex his *sive* apud nos sive apud vosmet ipsas malint eos, qui ipsis permissi sunt, repudiare, ne procurationem eorum habeant, cum : «Deo, inquiunt, perplacebimus neque cura nostra in his et illis versabitur». Et mentis caecitate affecti dictum prophetae ad animi sui appetitum et suam ipsorum commoditatem detortum referunt, cum : «Dominus, inquiunt[7], eunuchis virginibusque regnum caelorum concedet», et hac ratione alios reiciunt, ne iis curam adhibeant, [cum dictitant : «Universi ad vocem prophetae vivimus»,] quamvis ipsum non intellexerint ne[que] unquam ab apostolo didicerint, cum : «Nemo, inquit[8], suam utilitatem quaerat, sed alterius», quemadmodum ipse quoque non suam utilitatem quaesivit, verum multorum, ut salvi fierent. Maxime vero propheta, *p. 30

[1] Vel : ne pergerent alios... instituere. — [2] *Iud.*, iv, 4; v, 7. — [3] IV *Reg.*, xxii, 12-20. — [4] Luc., ii, 36. — [5] Vel : insigniorem. — [6] Cf. Is., lvi, 5. — [7] Cf. Matth., xix, 12. — [8] I *Cor.*, x, 24.

cuius dictum isti indociles ad suum ipsorum arbitrium interpretantur : « Dominus eunuchis locum dabit insignem et famam filiis filiabusque meliorem [1] » — *ille* ipse quoque Isaias non tantum Dei nominis causa multos subiit labores, sed pro frequentibus multitudinibus et pro nobis omnibus mortuus est.

Pater vel mater, quibus filii filiaeque sunt et nepotes et opes magnae, *huius* vitae rebus detenti, numquam possunt *et* filiis filiabusque ceterisque huius saeculi negotiis omnibus [provid]ere et filiis filiabusque divinitus *commissis* providere aliisque rebus iustitiae
* p. 31. omnibus. Ne*que* enim fieri potest, ut hi eiusmodi *homines* *serviant iis, qui ipsis naturaliter sunt *nati,* et inserviant aliis divinitus *datis.*

Contra vero homines, qui non habent natura filios filiasque aut etiam, si quos habent, eos dimittunt simul cum magnis copiis domesticis, cum digne vocatu eius, qui ad hanc ipsam eos vitam vocavit, vivere velint, hice sunt eunuchi et virgines, qui estis vos, fratres, omnesque, qui continentes sunt omnibus totius orbis terrae locis, sive ii, qui quid sit matrimonium honestum castusque lectus genialis ignorant, sive ii, qui cum muliere coniuncti maritoque nuptae, cum consilium eius, qui dixit [2] : « Qui potest ferre, ferat », divino moti inflatu *sequi* vellent, honesto matrimonio et casto toro geniali renuntiaverunt et filiis filiabusque et fratribus et parentibus omnibusque, quas possidebant, rebus renuntiaverunt *illud* Domini dictum [3] recordati : « Qui venit ad me, odit patrem suum et matrem et filios et fratres et sorores, insuper autem etiam animam suam ». Hi huiusmodi *homines* poterunt *sacras* secundum litteras esse discipuli Domini et hice sunt eunuchi, quibus non est progenies naturalis.

Facti sunt autem multorum divinitus filiorum parentes, quia, etiamsi liberos non haberent vel omnes, si quos tamen habebant, dimisissent simul cum omnibus, quae ipsis erant, rebus, sustulerunt
* p. 32. crucem suam *et Dominum secuti sunt [4]. Tales autem sunt sancti patres nostri, prophetae et apostoli. Hi sane eunuchi facti sunt propter regnum Dei [5]. Hac autem ratione parentes evaserunt multarum gentium [6] e Domini [7] dicto : « Quicumque reliquerit domum vel fratrem vel sororem vel patrem vel matrem vel uxorem vel filium vel

[1] Cf. Is., LVI, 5. — [2] Matth., XIX, 12. — [3] Luc., XIV, 26. — [4] Cf. Matth., XVI, 24; Marc., VIII, 34; Luc., IX, 23. — [5] Matth., XIX, 12. — [6] *Gen.*, XVII, 4. — [7] Matth., XIX, 29; Marc., X, 29.

filiam vel agrum propter nomen meum, ea recipiet multis partibus ampliora et vitam heres in aeternum possidebit ».

Proinde caveamus, fratres, ne nos alius ab alio abhorreamus mente, quae in nobis inest, aliena inter nos discordantes, quia nostrae ipsorum prudentiae consiliis compellimur, ut curam mutuam neglegamus; verum nos omnes utpote administri Dei alius alium perferamus, sive maiores sumus sive minores, sitque nobis in deliciis *bona* cum pace una vivere sine peccato et fraude ad exemplar Dei eiusque angelorum in caelis residentium.

Qui erunt filii prudentes, qui in opere, cui pater iustus dat operam, occupari non concupiscant ? Qui erunt fratres sapientes, qui exemplum fidorum fratrum se maiorum non sequantur ? Id est, qui erunt homines sapientes, qui non cupiant in eis operibus occupari, in quibus pater eorum caelestis i. e. Deus et Dominus noster Iesus locat operam ? et qui exempla angelorum Domini *non* sequantur et exempla prophetarum et exempla Pauli omniumque apostolorum, qui quidem dixerunt : « Sequimini exemplum nostrum, rationem nostram, fidem nostram, mansuetudinem nostram, caritatem nostram, patientiam nostram, vexationes * nostras, aerumnas nostras » ? Porro [1] etiam : « Exemplum vobis dedimus », et rursus [2] : « Exemplum igitur accipite, fratres mei, laboris et patientiae prophetas ». Rursus [3] etiam : « In omnibus rebus te ipsum praebe exemplum ». Porro [4] etiam : « Etiam anus similiter in habitu sancto ». Imprimis autem nos *sacrae* litterae de Domino nostro Iesu docent [5] : « Is, qui vobis reliquit exemplum, ut sequamini vestigia eius ». * p. 33.

Quod est Dei Dominique nostri Iesu opus nisi opera manuum eorum ? manus eorum formaverunt nos *atque* effinxerunt [6]. Quam ob rem Deus et noster Dominus Iesus secundum *sacras* litteras in omnibus hominibus usque ad hoc tempus elaborat servandis ad dictum [7] apostoli : « Qui operatus est in nobis » i. e. Deus.

Quod est exemplum angelorum caelestium, nisi quod opera sua cottidie exsequuntur gloriosa Deum Dominumque nostrum Iesum praedicantes atque collaudantes et ministeria praestant, ut ii, qui terram incolunt, salutem consequantur ?

Quod est prophetarum et apostolorum exemplum, nisi quod hoc sibi elegerunt, ut operam usque ad obitum in alios conferrent ?

[1] IOH., XIII, 15 (?). — [2] IAC., V, 10. — [3] *Tit.*, II, 7. — [4] Ibid. II, 3. — [5] I PETR., II, 21. — [6] *Ps.* CXVIII, 73. — [7] *Gal.*, II, 8.

Et in his omnibus Domino gratias agebant, fausta deprecabantur eis, qui ipsis male dicebant, pro persequentibus se supplicabant, Deum obsecrabant, ne occidentibus et flagellantibus se retribueret, velut rapiebantur et ex civitate eiciebantur et quaecumque in synagogis et
* p. 34. in tribunalibus perpetiebantur [1] velutque * ad duces et reges trahebantur magnosque ad mortem usque *subibant* labores.

Horum igitur omnium labores recordamur *hominum* sanctorum et consideramus, quomodo ignominiam Dominus noster Iesus contempserit *et* crucem [2] pertulerit nostrae omnium salutis gratia, quoniam ipse est noster salvator, ipse noster dominus et pater. Porro autem illud scimus optimum *illum*, Deum misericordem, omnes nos tolerare inde a primis usque ad extremos orbis terrae fines, ex quo primum hominem in terra condidit usque ad diem hodiernum atque etiam toleraturum esse usque ad consummationem temporis pro magna sua misericordia, quandoquidem nos servi eius sumus et ipse princeps noster et rex.

Proinde ne recusemus inter nos tolerare, ne succenseat nobis Deus. Nondum enim perdiu alius alium tulimus Dominum eiusque Christum imitati sanctosque eorum angelos, qui nos perferunt inde a primordiis rerum usque ad diem hodiernum et amplius in sempiternum. Sed alius alii inserviamus exemplum Iesu secuti, qui quidem formam servi nostra causa accepit [3], et exemplum Pauli, servi Iesu, et exemplum omnium apostolorum cunctorumque prophetarum, qui quidem servi Dei eiusque Christi Iesu fuerunt *sacras* secundum litteras : « Misi ad vos, inquiunt [4], servos meos prophetas interdiu et hora diluculi, misi eos nec audivistis ».

Qua in re prophetae et apostoli Domino eiusve Christo servierunt, nisi quod *illud* sibi elegerunt, ut operam in alios conferrent, mortemque obierunt pro nomine Iesu ? Quare Dominus Iesus patribus
* p. 35. nostris apostolis, cum omnia * quae iusserat eos praenosset exsecuturos esse, sursum in caelum ab eis discessurus secundum *divinas* litteras — itaque, cum Dominus gloriae [5] Iesus eis adesset, ea, quae eis ab initio mandaverat, etiam effecerunt — quare, *inquam*, dixit [6] : « Iam igitur non dicam vos servos meos, — quia servus nescit, quid faciat dominus eius — sed vos dicam fratres meos atque amicos, quia omnia, quaecumque audivi a patre meo, nota feci vobis. Non vos,

[1] Cf. Matth., x, 17 et sq. — [2] Cf. *Hebr.*, xii, 2. — [3] *Phil.*, ii, 7. — [4] Ier., vii, 25. — [5] I *Cor.*, ii, 8. — [6] Ioh., xv, 15 et sq.

inquit, me elegistis, sed ego elegi vos» et «mitto vos sicut oves inter medios lupos»[1]. «Nolite timere eos, qui occident corpus vestrum»[2]. «Si me persecuti sunt, vos persequentur; si sermonem meum servaverunt, et vestrum servabunt»[3]. «Si patrem familias Beelzebul vocaverunt, quanto magis domesticos eius»[4] vexabunt ludibrio atque contumelia !

Aspicite nunc, fratres, quam simus condemnandi ! Nam patres nostri, prophetae et apostoli, multiplici inter malos ac bonos et inter infensos sibi atque amicos implicati servitio magnis perfuncti sunt laboribus; nos vero ipsos non pudet dicere : «Curam in fratribus nostris non adhibebimus» indignos nos ostendentes gratia Domini, qui nos operibus, quibus eramus indigni, dignos ad se aditu reddidit.

Proinde nulli nostrum vel vestrum ipsarum gratiam Domini effundant aliosque quibus provideant divinitus sibi * *commissos* * p. 36.
fugiant; etenim ipsis quoque alii providerunt ab initio atque etiam nunc, cum alii ipsis omnes res prospiciant sive doctrinam *sanctarum* litterarum sive victum et vestitum, et in morbo quoque omnique rerum condicione ipsis, quicumque prospiciunt, dant operam.

Proinde caveamus, ne male loquentes dicamus : «Qui nobis praesunt, ii in nos dominantur, et nos iis subsumus more istorum servorum». Non, qui nobis praesunt, nobis sunt superiores, sed contra nos eis sumus superiores et ipsi nobis subsunt vel nobis inserviunt, quoniam Dei mandatu ~~omnibus de rebus~~ nostris curam adhibent.

Quo pacto prophetae et apostoli omnesque ab initio usque ad hunc diem sancti aliorum, ut ipsi quoque vitam consequerentur, servi esse voluerunt, nisi quod Dominum gloriae[5] Iesum viderant nostra causa formam servi accepisse[6] et Deum quoque, quamvis dominus sit et rex, ab initio instar servi fuisse operarium ? Ita fecit angelos suos spiritus, quemadmodum scriptum[7] est, et ita procreavit rerum universitatem; ex eo, quod non fuit, ea omnia effecit, caelum et terram et omnia, quae in eis sunt[8], secundum *divinas* litteras : «Tu terram fundasti, inquiunt[9], opera manuum tuarum sunt caeli». Et rursus ita dixit, ut omnes res fierent, et omnia iussu eius

[1] Matth., x, 16. — [2] Ibid., x, 28. — [3] Ioh., xv, 20. — [4] Matth., x, 25. — [5] I *Cor.*, ii, 8. — [6] *Phil.*, ii, 7. — [7] *Ps.* ciii, 4; *Hebr.*, i, 7. — [8] *Ex.*, xx, 11; *Ps.* cxlv, 6. — [9] *Ps.* ci, 26.

facta sunt : boves et oves et cetera pecora campi omnia et cunctae caeli volucres et aquatilia et arbores fructiferae et quaecumque e terra progerminant *sacras* secundum litteras [1]. Ita porro Deus terram de terra sumpsit, postquam cum « primogenito omnis creaturae » [2] * p. 37. Iesu, qui quidem est ante omnia [3], deliberavit : * « Faciamus, inquit [4], hominem aliquem ad imaginem et ad similitudinem nostram », et, cum hominem *sacras* secundum litteras ad imaginem et ad similitudinem suam effecissent, Deus « inspiravit in faciem eius spiritum vitae *et* factus est homo in animam viventem » [5], « masculum et feminam creavit eos » Deus, quemadmodum scriptum est [6]. Et ita Deus plantavit paradisum in Eden et posuit ibi hominem illum, quem [formaverat [7].....

52. De pietate feminarum.

.....] cum frustra eos (?ea?) recipitis, cum locis omni fraude [8] plenis a mane usque ad vesperum permanetis, cum non satiamini audiendo ac videndo *res* vobis exitiosas atque adeo ludibria (?) et spectacula. Vitae vero nostrae opera, quae quidem nobis tempore discriminis nostri inveniemus, ea e contrario neglegimus. Porro autem animadvertite, quomodo ab aestu incendii, quod in balneis est, corporum commodi causa caveatis. Sin vero in aedes sacras intramus, peccatorum nostrorum sedes eluendorum et salu[ti]s animarum nostrarum, parvi animi sumus, ut animos non coërceamus, dum voces Dei, quae quidem nostros levant animos, audiamus. Videte nos, o homines, comedentes, si ad cenam sumus vocati, quomodo nos geramus. Manducamus, insatiabili quadam cupiditate omnia volumus corripere. Pudeat nos saltem (?) harum rerum animumque advertamus ad mandata Dei et praecepta ac leges, quae ut in aede sacra audiamus invitamur. Caveamus, ne ii, qui nos invitant * p. 38. de caelo, nos attendant neu pectora animosque nostros * inveniant vacuos et famelicos inter caelestia ; quamquam bona large suppetunt proposita. Nos vero nihil curamus, quod sancti multos esse sciunt in Dei domum introëuntes, quorum animi vagentur ne*que* intendantur in praecepta, quae ipsis traduntur. Operam igitur demus iis *rebus*, e quibus fructum percipiemus, neque quisquam nostrum causas

[1] *Gen.*, I, 3-25. — [2] *Col.*, I, 15. — [3] Ibid., I, 17. — [4] *Gen.*, I, 26. — [5] *Gen.*, II, 7. — [6] *Gen.*, I, 27. — [7] *Gen.*, II, 8. — [8] Vel : voluptate.

quaerat, velutsi *rebus* vacemus inanibus nequei nvitationem ad cenam salutis nostrae spectantem repudiemus ob mundi, qui peribit, delectationem, ut narravit evangelium[1] : unum quidem propter iuga boum recusavisse, alterum *autem* propter agrum, alium *vero dixisse* : « Uxorem duxi ». Hoc autem ceteris opinor turpius esse, quandoquidem uxorem quoque ad cenam adducere ei conveniebat; ipse vero semet ipsum bonis privavit aeternis. Quae res tibi est impedimenti loco ? Narra mihi ! Nonne unum maritus et coniunx efficiunt corpus ? Et cur ad cenam non venies, tu et illa ? Nonne de iisdem panibus atque illa sumis iisdemque cibis ? Quin *illa* simul tecum veniet ad cenam et prandium Christi ? An non ipsi opus est preces facere et doctrinam audire omnibusque partibus colere pietatem ? An regnum caelorum unis paratum est maribus ? Feminis id ut ingrediantur paratum non est? Fortasse tu, cuius animus torpidus est vel oppletus, ita ut cenam Christi non delibes, incitamentum uxori praebuisti. Sane sicut multi sunt mares, qui ad tempus sunt fortes, et multae sunt feminae, quae sunt imbecillae, *ita* rursus multae sunt feminae, quae ad tempus sunt fortes atque victrices, *multi etiam mares, qui ipsis inferiores sunt et infirmi(ores). Idem * p. 39.
maribus et feminis statutum est certamen et corona *eadem* praesto est simul *et* maribus et feminis perseveraturis. Ne quis id in evangelio audiat : Alius dixit : « Ideo uxorem duxi ; non possum venire »[2]. Praeterea quod Dominus dixit[3] : « Sicut factum est in diebus Noë : uxores ducebant *et* nubebant », eum censent matrimonium spernere et reicere nuptias ; « ipse enim ab initio masculum et feminam fecit »[4] ; sed reprehendens pharisaeos dictitat[5] : « Qui procreavit ab initio, masculum et feminam fecit » ; ipse enim vere universitatis *rerum* opifex est, cum ab initio unus idemque sit ac pater eius. Sane dicit[6] : « Quod Deus coniunxit, homo non separet ». Sed eum, qui desiderio voluptatum corporis detinetur, quominus ad verum veniat prandium, condemnat, quia voluptatum appetens neque illa cena dignus est neque eo dignus, qui illam instruxit eumque ad eam vocavit : Iesu, secundum ipsius verbum verum ; ipse enim Dominus[7] dixit : « Qui invitati erant, non sunt digni ». Quo enim pacto ii, qui dignitatem matrimonii spernunt, obiurgationem fugient? Considerate eos, qui

[1] Luc., xiv, 18-20. — [2] Ibid., xiv, 20 ; ⲉⲧⲃⲉⲧⲁⲓ post ⲟⲩⲥϩⲓⲙⲉ ponendum videtur : Uxorem duxi ; ideo non possum venire. — [3] Matth., xxiv, 38 ; Luc., xvii, 26 et sq. — [4] *Gen.*, i, 27. — [5] Matth., xix, 4 — [6] Matth., xix, 6 ; Marc. x, 9. — [7] Matth., xxii, 8.

Deo vere placuerunt, matrimonio uti nec liberorum procreationem improbare. Fortunati sunt enim rebus suis omnibus, sive uxores ducunt sive maritis nubunt sive serunt sive metunt, seu omnibus rebus, quas Deus a primo condidit; at iustum *retinent* modum. Miseri vero omnibus rebus erunt illi, qui quae dedecent aggredientur, * p. 40. quia Deum,* qui eos condidit, ignoraverunt, in quos quidem ingruet diluvium quoddam irae et furoris sicut in illos olim impios : « Venit diluvium aquarum *et* perdidit eos » [1].

53. De iureiurando monachorum.

...]peccatum numquam committeres. Sed curam adhibebis de tuo Dei viventis conventu. Attendito ad ea, quae leges, et ea, quae audies e litteris divino afflatu *confectis* patrumque nostrorum sermonibus, maxime vero ex evangeliis, et quae scripta sunt observato cuncta : felix eris hoc aevo et venturo atque Deum alterumque amare palam cognosceris salvusque eris, ut scriptum [2] est : « Qui observat mandatum, hic salvus est ». Et observato foedus, quod apud Deum pactus es, quod est hoc :

Professio [3]. Apud Deum sancto in loco verbo, quod ore protuli, mihi testante pro[fite]or : Corpus meum nullo modo polluam, non furabor, non mentiar, testimonium non praebebo falsum, nullam occulte intendam fraudem [4]. Quod si id, quod vovi, violavero, regnum Dei etsi videro, tamen non ingrediar : Deus, cuius in conspectu foedus pepigi, animam meam corpusque meum ignea in gehenna perdet, utpote cum foedus, quod in conspectu eius feceram, violaverim.

* p. 41. Caveto [5] pollutionem, [quoniam] turpissima est * totam[qu]e hominis deminuit dignitatem. Superbiam animi fugito orisque iracundiam, ne quam humilitati tuae, quam tibi comparaveris, labem aspergas; horret enim Dominus omnes superbos et Deus eis adversatur. Nolito lingua esse procax neve de operibus tuis gloriator, ne tibi pereat virtus peregrinationis. Saepenumero a multis verbis abstineto, ne inimicus te ea *re,* quam non reputabis, faciat fluctuantem. Minimum te sistito sermone oris tui ac stultum te reddito inter sapientes : suam tibi Deus largietur sapientiam. Ne murmurato die

[1] Luc., xvii, 27. — [2] Cf. *Eccl.,* viii, 5. — [3] Vel : pactum; cf. 6, 3 (t. III). — [4] Cf. Marc., x, 19. — [5] Cf. 33 (t. III).

aerumnoso, quia probatio electionis aerumna patefieri solet. Si quas ad res destinabere, cum fide eas perficito : virtus Spiritus te reddet hilarem. Submissum te praebeto sermone tuo, ne rixa a te proficiscatur. Si modestus manseris, a Deo et ab hominibus amabere. Qui tibi praepositus est, eum honorato instar Dei. Nullum hominem iudicato peccatorem. Tibi quoque perpetuo insidiantes sunt [

54. De vita monachorum. I.

meditari] caelestia iis videtur meditari terrena, et meditari terrena iis videtur meditari caelestia. Sapientia eis videtur stultitia, et stultitia eis videtur sapientia. Flete, o car*issimi* mei, de his huiusmodi *hominibus*! Porro usque adhuc sunt, qui animum humanum vel fraternum eorum, qui in te, communitas,* ipsos instituunt, non credant. Certissime autem si inde a patribus nostris, qui emortui sunt, usque ad hunc diem ii, qui in te verum dicunt sive dixerunt, dormissent sive domirent, hoc hominum genus demergeretur teque una secum demergerent in suam ipsorum confidentiam; inutiles essent teque simul secum redderent inutilem; maledictis veri Dei nomen offerrent, quia *ii* homines tui, qui fiduciam in se semper collocent ac non in Deo, eos qui ministerio funguntur et omnes, qui dant operam universis, quae tibi opus sunt, rebus, sibi vindicant, cum dicunt sive cum animo suo glorioso cogitant omnes corporis res, quibus tibi opus est, sua causa fieri. Hi eiusmodi *homines* non homini ingrati sunt, sed Iesu. Nec hominis spernunt gratiam, [verum] gratiam Iesu, Dei Deique filii, qui quidem pro peccatis nostris se offerre veritus non est. Quid autem ei causae est vel quid est, cur provisurus non sit eis, qui in ipso spem collocent vel curam suam in ipso deponant? Ut eis praesto sit ad res non solum ad corpus, verum ad animam pertinentes et non ad terrena tantum sed ad caelestia. Sic enim scriptum [1] est : « Omnem sollicitudinem vestram proicientes in eum, quoniam ipsi cura est de vobis », et rursus [2] : « Iacta super Dominum curam tuam, ipse te enutriet ».

[* p. 42.]

Qua re quicumque apud nos ad opera corporis constituti sunt vel constituentur, non constituti sunt, ut cum patre, qui quoque tempore his communitatibus *praeerit,* rixentur, * verum ut ad ea, quae eis imperabit, parati sint, si ipse quoque est ille praeses, cuius animus

[* p. 43.]

[1] I Petr., v, 7. — [2] *Ps.* liv, 23.

Deo sive in Deum fidelis est [1], qui non iniquis partium studiis constituitur vel honoris humani cupidus est, quem omnes, qui in his communitatibus versantur, Dei esse testificantur metuentem *et* remotum a sceleribus, quae in aliis si committuntur condemnat.

Qui quoque tempore his communitatibus praeest, homines sibi constituat omni fide dignos cumque iis de omnibus, quae facere oportet, quin etiam de nummo aureo vel aereo, qui in triticum vel lanam vel aliam quampiam omnino rem impendetur, deliberationem capiat, ut simul cum ipso animum advertant sive attendant, qui sint homines, quibus vendiderint aut quibus vendituri sint, ut scriba omnes ipsi consignante universos certo noverint in tempus negotii agendi.

Quicumque venient, ut pro tritico vel lana vel quibusvis *aliis* rebus, quas accipimus, aurum vel aes vel corbes vel pannos vel libros vel alias quaspiam merces recipiant, harum communitatum patrem dare operam oportebit, ut omnibus, cum eos exploraverit, suis *ipse* manibus tradat, et omnes eos, qui empturi sunt, allocutus iubeat tempore sive die emptionis ea solvere sollicitudine iudicii divini iniecta, ne eis cum ipsis decedentibus peccato vertatur; sunt enim, qui ira vel exsecratione divina *quodammodo* exusti sive arefacti sint,
p. 44. quia non solum, quod debebant, non solverant aut * opera ex auro vel ex aere facta, quae acceperant, non qualia erant reddiderant, sed etiam illa a se sciscitatos oppugnaverant vel contumeliis vexaverant.

Secundum enim patrem, *qui* quoque tempore his communitatibus *praeest*, est eius vicarius [2]. Et convenit, ut semper eum sibi constituat simul cum aliis omnibus, quos sibi constituerit consiliarios, ut omnium rerum onus secum sustineat et ut se praeparet ad rationem in Dei tribunali cum ipso reddendam de omnibus hominibus sive maribus sive feminis, qui in his communitatibus versantur.

Deus sicut singulis de rebus hos duos homines percontabitur *et* patrem hoc loco habitantium et quem sibi constituerit vicarium quosque in consilium sibi adhibuerit, ita omnes domuum praesides eorumque vicarios de sibi commissis interrogabit.

Et Deus velut hos duos homines cumque eis conspirantes sciscitabitur, sic etiam matrem communitatis et, quae ab ea proxima est, vicariam [3] percontabitur aliasque ipsis conspirantes universas.

Omnes homines nostri sive mares sive feminae operibus, ad

[1] III *Reg.*, VIII, 61. — [2] Ad verbum : secundus. — [3] Ad verbum : secunda.

quae ipsis opus erit, destinati, sive qui ostiario in loco sive qui in triclinio sive qui in valetudinario vel qui in horto olitorio erunt, vel administri vel alius aliquis omnino homo, qui aliquam rem administrabit, erunt universi sub suorum, in qua quisque domo erit, praesidum potestate. Neque ullam sine eis, ipsis inconsultis, rem facere poterunt neque ad ullum egredi poterunt negotium ipsis inconsultis. Et in omnibus rebus eorum [1] saluti prospicient, quia * * p. 45. Deus ipsos de eorum [2] animis interrogabit utpote unus [3] ex eis, quibus omnes in domo commendati sunt.

Si quem ex ministris vel ex eis, qui ostiario in loco sunt, aut aliquem omnino alium hominum inter nos deprehendent in communitatem sermones insinuantem aut res futiles vel turpes vel animis eorum qui eos audient perniciosas aut aliquas alias eiusmodi res profanas, quae nulli usui sint, eos ex ea occupatione, in qua versantur, et ex suo ordine amovebunt, et erunt sicut cuncti fratres in eo ordine, in quem venerunt in communitatem *ingressi.*

Qui cavillantes sive irridentes sive iocantes dixerint : « Abibo, ut matrimonio mihi iungam mulierem aliquam vel sororem huius vel filiam illius », eos magno cum furore Deus exsecrabitur, quia eis, qui dixerunt [4] : « Mandata tua commentabor et explorabo vias tuas », ita non similes sunt, ut ipsi sermones ludicros argutentur et in operibus volutentur sordidis porcorum ritu in omnes sordes se immergentium animas*que* suas furori divino praebeant die irae iugulandas instar porci iugulari parati.

Porro in nobis praeter haec omnia rursus homines inveniuntur, qui suas ipsi animas cogitationibus turpibus adulterent mentibus*que* scortentur, qualis eadem erat a principio eorum consuetudo, qui in te sunt dementes. Usque adhuc animis saturati non sunt obiurgatione prophetae [5], *qui :* « In omnibus his, inquit, Iuda *ista* demens tota mente ad me non revertit ».

* Si quis ministrorum vel alius quis *monachus* gravis in nobis * p. 46. deprehendetur aliqua in re repugnare his duobus hominibus : patri harum communitatum eiusque vicario et eis, quos sibi constituit consiliorum auctores, ex officio et ordine suo amovebuntur in ordinemque detrudentur, in quem venerunt recens in communitatem *ingressi.*

[1] Vel : suae (?). — [2] Vel : suis (?). — [3] Vel : unum (?). — [4] *Ps.* cxviii, 15. — [5] Ier., iii, 10.

Sin autem quis *monachorum* gravium sive praeses domus sive minister sive alius quis *monachus* gravis per infirmitatem recusabit aut etiam non poterit homines, quibus praefectus est, moderari vel officio, quod ei assignatum est, satisfacere, in eum referetur ordinem, in quem venit primo in communitatem *ingressus.*

Quisquis in nobis unquam legibus, quae nobis statutae sunt, non parebit[1], non homini aut humanis praeceptis non oboediet, verum Deo eiusque praeceptis non obtemperabit cassaque erit ipsi perseverantia, inanes autem etiam omnes res, quas faciet per ingenium suum indocile. A te discedere eos praestat vel ex te exterminari potius quam prava eorum ferre opera, quae in te perpetrabunt quavis parendi dedignatione.

Si quando in nobis aliquis invenietur alterum sive fratrem suum appellare « servum fatuum » vel « servum nequam... », despectus is erit Deo angeloque abiectus; nam superbia elatus alterum despicit. Non dixit : « Vae servo aut... aut etiam alii eiusmodi *homini* his simili », * p. 47. * verum dixit[2] : « Vae non oboedientibus ». Neque dixit : « ... aut servi sunt, qui servi sunt » peccati, sed dixit[3] : « Qui faciunt peccatum, servi sunt peccati ». Neque dixit : « Qui servi aut... sunt, in perditione sunt » ; verum dixit[4] : « Filius non oboediens in perditione est ». An non vidisti hunc vel illos, qui quales sint ego scio quamque a te abalienati, quia Deus eos ex te reiecit non modo propter parendi dedignationem et rixam et reliqua opera perversa, verum etiam, quod alios eiusmodi vocibus improbis vexaverant, quippe cum *illi* mandata in communitatibus Dei statuta servarent aut seni rem, quam viderant vel quam cognoverant esse malam, indicarent?

Hi illi, qui de te decesserunt vel eiecti sunt, si omnibus diebus, quibus tecum versabantur, gaudium sive delectationem viderunt, quod praecepta vel leges, quae patres nostri nobis statuerunt, violarent et despicerent, quicumque ea unquam violabunt vel despicient, ipsi quoque in perpetuum laetitia perfruentur.

Qui quae patres nostri nos docuerunt, quae nobis tradiderunt praecepta vel quaecumque litteris nobis consignaverunt, ea ullo tempore neglegere cogitabunt, istud hominum indocile genus prius doceto non solum ipsos esse stupidos vel virgines fatuas[5], quae oleum in vasis et lampadibus suis non habeant, verum etiam adulteras

[1] Suspicor ⲉⲩⲟ ⲛⲁⲧⲥⲱⲧⲙ legendum esse. — [2] Cf. Os., vii, 13. — [3] Ioh., viii, 34. — [4] Cf. *Prov.*, xxi, 28. — [5] Matth., xxv, 1 et sq.

esse ipsorum animas, cum a daemone adulterentur contumaciis et iurgiis et contaminationibus et mentibus omni improbitate peioribus; ipsius enim hominis * mens nisi polluitur, non peccat, neque animus * p. 48. eius, nisi impuritate se inquinat, oboedientiam abicit *aut* sibi ipsi sapit.

Quicumque in te unquam omnia haec verba et praecepta haec universa deserent, eorum mediis in pectoribus male moratis spiritus immundi saltabunt cum daemoniaca sua de omni peccato laetitia. Si hoc in te spiritus stupri omnisque rei pravae diebus praeteritis, antequam Deus his in rebus omnibus nobis auxiliatus est, non fecerunt, spiritus satanae te ne implicabit quidem contaminatione et impudicitia et furto et mendacio et contumacia et controversia omnique re abominanda, *quae sunt* in animis eorum, qui ab eis recedent, quae Deus de consilio, quo in misericordiis suis omnibus in nos usus est, nobis praecepit.

Quicumque in te haec verba haecque praecepta ullo tempore deseret, satanas est, qui ab initio hoc sibi sumpsit, ut hominem, quem Dominus Deus suis manibus formaverat, impugnaret; in animas eorum intrabit sive irruet et singulis peccatis, quae contumacia *legum*que violatione committent, eos occidet, velut qui adversarium, cui fraude supervenisset, gladio et hasta trucidavit.

Quicumque in nobis ab his verbis hisque praeceptis ullo tempore recedent, in iis flagrabit peccatum instar ignis ardentis mentesque eorum flamma contumaciae et * impuritatis, quam committunt vel * p. 49. committent, fornacis instar nigrescent et animae atrae erunt instar carbonum. Si ei, qui ferro occisi non sunt, melius se habent quam ei, qui impuritate et furto et veritatis repudiatione, priusquam Deus in nos eis usus est pro consilio suo misericordiae pleno, in te perierunt, ei rursus, qui ferro interfecti non sunt, melius se habent quam ei, qui omnibus his verbis et praeceptis neglectis interibunt istis improbitatibus. Si plagarum sive vulnerum, quae tu, antequam summus Deus *et* misericors nobis misericordiam et gratias haud paenitendas impertivit, accepisti, immemor sive oblitus es, perquire sive perscrutare tergum tuum et femora brachiaque cruraque et pectus alvumque costasque et ipsum caput collumque humerosque sive superiores brachiis *partes,* quo loco serpens convolutus est: in his omnibus plagas sive vulnera invenies [1] (?) atque adeo in arti-

[1] Lege ⲧⲉⲛⲁϭⲓⲛⲉ(?)

culo digitorum etiam minimorum et pedum et manuum et cognosces[

(*desunt quattuor paginae*)

Re]s malae, quas quisque sive mares sive feminae his verbis et praeceptis neglectis in te patrabunt, eo die, quo Deus quaeret de futuris in te *et* peccatoribus et iustis, in tribunali non erunt occultae. Malis, quae fecimus, si *hac* in terra vel ab eis, qui in terra sunt, nos non occultavimus, quo pacto in caelo nos a caelestibus omnibus
* p. 50. occultabimus? Si in aetate hominis summa vel in adulescentia * vel in qua *quisque* sumus aetate recordati, quantas improbitates et levitates admiserimus, pudore affecti non sumus sive nunc non afficimur, tum pudore non afficiemur sive ne illo loco quidem pudore afficiemur.

Quicumque eas res, quae quoque tempore hic habitantibus ad corpus necessariae sunt, in nobis administrabunt, pater harum communitatum dabit operam, ut in domibus suis sicut omnes fratres ipsi quoque saepe conquiescant, ne animi eorum occupationis mole pereant neve per multitudinem rerum consuetam obliviscantur vestitum monachorum se quoque gerere, cum sollicitudo frenum equinum capessendi animos neglegentium transversos agat. Et quocumque die sive quotienscumque in communitate requiescent, ipsi quoque more omnium domesticorum in negotiolo suo occupati erunt. Quidquid fecerint, etsi una storea sit vel un... funis vel alia denique res, id adnotabitur ex instituto fratrum omnium. Sin autem eis obtingit, ut dies vel menses degant quietos, ipsi opus suum sicut omnes fratres adnotabunt.

Si quis ex iis, qui ministrant, aut etiam alius, cui*cumque* muneri addictus est, apud nos patri, qui quoque tempore hic habitantibus *praeest,* non parere vel obsistere invenietur, cum oboedire vel ad opus sive opera, quo die vel qua hora mittetur, accedere nolit aut porro animo contumaci in communitate sive in domo, qua hora vel
* p. 51. quo die iubebitur, requiescere gravetur, * ex huiusmodi munibus et e suo ordine demovebitur et in *communi* omnium fratrum loco erit.

Quo tempore operam dabunt lino fratres — excipitur morbus vel infirmitas aut etiam officium aliud — omnes inter se congregati erunt, quoad id paraverint. Tempus nocte surgendi ad illud tractandum est tempus sive... tertiae horae, dum lux intrat, ne qui taedio afficiantur neve labore detrimentum capiant, ut cum media de nocte surgunt aut etiam post eam ante lucis adventum. Neque quisquam ad illud tractandum accedet, antequam omnes fratres illuc convenerint.

Quicumque in nobis ullo tempore causam quaeret et recusabit, ne quos eiusmodi labores ad exsequendum difficiles subeat, quamvis possit, atque etiam femina pigra sive iners ad texendum alios non deridebunt — sed se ipsos derident et mentiuntur cum suo detrimento sive suarum ipsi animarum damno et accumulant sibi vastitatem et...[....

(*desunt octo paginae*)

...]in veritatem et libertatem eius fraude carentem et omnes res, quae lucidae sunt, quia apertae sunt. Omnes res, quae apertae sunt, lucidae sunt. *Et* mala et bona potes scire, cum ex his ea verbis et praeceptis probabis sicut aurum et argentum igne probatur; nam qui eis, qui ipsos aliquando ea docebunt, non oboedient, inimici sunt veritatis nec veritatem noverunt. Mendacium enim sectantur omnemque rem fraudulentam. Qui eis, qui ipsos ea, * ut sequantur, *p. 52. docebunt, oboedient, percari sunt veritati et veritatem noverunt; mendacium enim oderunt omnemque rem fraudulentam.

Qui tenebris ignorantiae suae circumfusi, postquam haec verba et haec praecepta cognoverint nec observaverint, occulte in te aliquando opera prava committent, ipsi quoque tenebrae sunt similiter atque opera ipsorum tenebricosa, quae perpetrant sive perpetrabunt clam antistitibus hunc locum perpetuo incolentium. Et tenebras istud genus hominum possidebit pro ingenio suo indocili. Dementia sua peribunt.

Pueri vel puellae, qui in te aluntur...[

55. De vita monachorum. II.

]simulatio, velut si facinus quoddam praeclarum patrarint. Et fit, ut illi, si eos quibuscum precantur fugiant, similiter ac puerulus non queant precari, nedum precentur sine intermissione [1]. Perfectorum vero patrum nostrorum caritas, quam erga Deum sanctumque eius filium Iesum habebant, tanta erat, ut sine intermissione sive interdiu sive noctu per totum suum tempus soli seorsum preces facerent et quemlibet ad id incitarent, homini autem constituerent etiam modum inter alios preces fundendi, scientes multos parvum capere detrimentum propter magnum.

[1] Cf. I *Thess.*, v, 17; Luc., xviii, 1.

* p. 53. Et illae senae *preces* vespere ter *repetentur,* sexies * singulis temporibus. Neque quisquam hinc demet neque huc addet.

Ea tempestate, qua ignis accenditur diebus brumalibus, tempus mane surgendi erit ante lucem sesquihora vel duabus paene horis *et* quater precabuntur, sexies singulis temporibus, propter praestantiam vel propter imbecillitatem humanam, ne quisquam alterum affligat.

Sin autem aliquo die per imprudentiam nimis mane surgent, quinquies precabuntur, singulis temporibus sexies.

Praeterea si quo die *in expergiscendo* tardiores erunt et lux, antequam surrexerint, iam iam intrabit, ter precabuntur, singulis temporibus sexies.

Verumtamen *his* legibus, quae iustam ad normam constitutae sunt — quater, singulis temporibus sexies — nemo *quicquam* contendendo *aut* demet aut addere poterit.

Quod ad tempus nocte *diei* dominici surgendi *attinet* — si quidem hiems erit, ante lucem surgent hora tertia. Preces facient quinquagies semel. Sed si quo die nimis mane surgent per [imprudentiam [1]...

56. De vita monachorum. III.

]vel puellae vel senes vel anus inter nos, neque fiet, ut bis in die
* p. 54. cibum capiant; a sene lex eis constituetur, * ut cibo utantur ea hora, qua ministrum ipsis victum suppeditare iusserit.

Sed hominibus etiam aegrotantibus sua lex statuetur. Et hominibus aestu febrique laborantibus videbit quid facere conveniat.

Homines valde defatigati cum opera fecerint sive messuerint iuncos sive folia palmarum decerpserint vel palmas evellerint [2] vel circumegerint (?) vel pinsuerint eo, quo panis coquitur, tempore — ut paucis dicam, aliquam *egerint* rem, in qua supra vires elaboraverint, ipse providebit, qua hora aliquid requirant, et constituet, ut paulum cibi sumant et scyphum aquae hauriant.

Cibus, qui universae coquetur communitati, semel in hebdomade constituetur. Et omnia olera, quae corrupta existima(bu)ntur et ad coquendum vel comedendum inutilia, priusquam abiciantur, seni indicabuntur. Neque unquam eo die, quo coquent, *tantum* coquent, ut ad duos dies eis suppetat, verum expedit, ut id uno die consu-

[1] Lege ϨⲚ|ⲞⲨⲘⲚⲦⲀⲦⲤⲞⲞⲨⲚ. — [2] Vel : extulerint.

mant, ipsi et peregrini, qui ad ianuam versantur, et omnes, qui illo die ad nos venient. Sin autem quid in proximum diem supererit, ad locum ostiarium tum non auferetur, sed ipsi sibi id consument, modo ne artificiis enitantur, ut semel coquendo parent, quod biduo sibi sufficiat, Deusque iratus eos cum impietatem operantibus secundum *sacros* libros[1] eiciat, cum bene se facere arbitrentur, male autem potius faciant imprudentes.

Toto quadragesimae tempore e patrum nostrorum praeceptis * *p. 55. nequaquam coqui licebit, nisi forte hominis aegroti causa necesse sit.

Non parabitur cerevisia (?) neque ulla unquam (?) coquetur res in communitate monacharum. Neque ferent....[...

(*desunt quattuor paginae*)

]...et id (?) comedemus adhibitis (?) eis modis, quibus ut omnia cibaria, quae sumemus, dimetiamur nobis in communitatibus nostris statutum est. Haec et cetera nemo poterit tollere.

Omnibus iis vasis, quae patres nostri in mensis nostris, ut inde cibum capiamus, posuerunt, neque demetur neque addetur neque ulla amplius res apponetur, ut indoles eorum commutetur, ut iuri(?) vel sali vel lapsanae vel alii omnino rei[2] oleum admisceatur in mensis tricliniorum nostrorum, excipiuntur sola hominum aegrotorum loca.

Sin autem homines inter nos sive mares sive feminae valetudine affecti in cubiculo hominum aegrorum cibum capessere debebunt et ad iusculum (?) vel ad salem vel ad lapsanam vel ad ullam huiusmodi rem paululum petent olei, dabitur eis ad mensuram definitam, cum neque eis ultra modum affundatur neque etiam *illi* quicquam egere sinantur.

Porro autem omnibus rebus, quae aegrotis coquentur, sive olera sunt sive pultes sive aliqua alia omnino res, quae illo loco aegrotis *destinato* coquetur, neque multum ultra modum olei affundetur neque etiam ulla re *illi* egere sinentur.

* Sin autem necessitas aderit et quis requiret aliquid vini aegrotans *p. 56. sive mas erit sive femina sive puer sive puella postulabuntque morbo vexati paululum vini, ipsis concedetur. Si vere aegrota(bu)nt, eo indige(bu)nt. Attamen ipsi quoque cave(bu)nt, ne se ipsi frustrati nimium bibant.

Qui illo loco ministra(bu)nt, facient, ut aequum erit, eatenus,

[1] Cf. *Ps.* cxxiv, 5. — [2] Ratione proximae huius capitis particulae habita legendum videtur Ⲏ ⲉϭⲉⲗⲁⲁⲩ.

quatenus senex ipsis praescripserit, ut cuivis pro singulis morborum generibus ea impertiant. Verumtamen neque praeses neque ullus prorsus homo sive mas sive femina cuiquam aegrotatione affecto, ut persuadeant, dicent : «Visne paulum vini *habere* et bibere?» Sed qui aegrotabit[. . .

57. De vita monachorum. IV.

Si]quis inter nos inventus erit vir vel femina, qui locorum, quae ipsis concredita, et officinarum, quae ipsis mandatae fuerint, claves non custodiant et quamquam semel aut bis aut ter, ut vigiles sint, admoniti, tamen ut diligenter custodiant nihil enitantur, e locis, in quibus fuerint, et officinis, quae ipsis demandatae fuerint, necessario amovebuntur.

58. De vita monachorum. V.

Eiusdem.

Patres nostri nobis pro sua benignitate concesserunt, ut panes parvi extra triclinium nobis praeberentur, non ob nostram tantummodo infirmitatem, verum ne quis nostrum *ad furtum aut rapinam induceretur; sed eos nobis praebuerunt, quia ab eis, cum vivebant, necessitate quadam nobis statuti erant, ut suum quisque nostrum comederet panem trutina appensum, et insuper quia permultos nostrum viderant in magnis vitae asperitatibus fame sitique valde urgeri. Hoc pro sua misericordia benigni patres nostri recordati : «Forsitan frusto panis, postquam in triclinio surrexerint, interdum indigeant, cum prae magno aestus ardore, qui pectus affligit, pane suo vesci nequierint, magis autem, quia eis praecepto statutum non est, ut in triclinium, postquam exierint, iterum redeant ad comedendum». Hoc igitur modo patres nostri coniverunt *et* parvos panes, quotienscumque indigemus, extra triclinium nobis praebuerunt peccatum non esse nobis scientes, si eum [1], quando nobis vere opus erit, grato cum animo capiamus, ut ne*que* fraude quadam capti, si non esuriemus, violenter sumamus neque invidia quadam impulsi plus nobis colligentes capessamus, ne nobis damnationi fiant. Sin autem mas vel femina plus uno panicello aut altero aut

[1] Eum = aliquem ex eis panibus.

tribus integris habere inter nos invenietur, haud cunctanter ab ipsis auferentur ac duabus hebdomadibus nihil prorsus accipient.

*Duodecies in anno senex singulis mensibus ad omnes commu- * p. 58 nitatis domos adibit et singula, quae in eis sunt, cubicula singulosque recessus singulasque res, quas suas sibi partes vindicantes accipiunt, perlustrabit, ut cognoscat, num contra legem, quae statuta est, plus habeant vel num quis nefas commiserit aliqua re praeter praeceptum, quod datum est, in cubiculum invecta. Itemque in minuta etiam nostra ad septentriones ab hac vergenti communitate fiet, ut pater illius loci ipse quoque de iis, qui ei commissi sunt, hunc in modum faciat. Et omnes res pravas, quas ibi deprehenderit, sive pollutiones (?) erunt sive furta sive panicelli, quos in vasis eorum invenerit parvulum numerum excedentes, vel alia aliqua omnino eiusmodi res, senem docebit neque ullam omnino rem improbam celabit. Et anus ipsa quoque faci(e)t [.....

59. De vita monachorum. VI.

Eius[dem].

Tempore quadragesimae quotannis nemo e nobis ullum sibi cibum reponere poterit sive mas sive femina sive grandis sive parvus, quoad totum a prima hebdomade usque ad exitum magni paschatis tempus completum erit. Sed eo die, quo quisque cibum sive quarto sive tertio sive secundo *die* sumet, si e triclinio exierint, sua pars ei dabitur, et quod comedet, id comedet et *reliquiae* vespere ab eo per ministrantes auferentur. * Ita in universo nostro coetu fiet sive * p. 59. marium [sive feminarum.

60. De vita monachorum. VII.

]aut etiam crus alterum alteri imponant, cum apud se solos sunt vel etiam in corona hominum, more alumnorum huius saeculi, fiet ipsis sicut eis, qui magnas commiserint impietates; turpitudines enim sunt hae eiusmodi libidines hominibus prudentibus, qui ad nostrae vitae *disciplinam* vivunt.

Si qui vir vel quae femina inter nos deprehendetur, qui fratres cavillationis sive irrisionis causa appellent caecum vel surdum vel mendacem vel naso distortum (?) vel..... vel potatorem vel mutum vel claudum vel mutilum vel..... vel servum vel sutorem (?) vel calvum (?) vel alio aliquo omnino eiusmodi nomine, poenam subibunt haud secus atque ii, qui res perpetraverunt inhonestas, quoniam hae tales res sunt stolidissimae et dementissimae hominibus sapientibus, qui ad nostrae vitae *consuetudinem* [1] vivunt labra coërcentes, cum sciant eos, qui os et linguam coërceant, custodire animas suas [2]; labia autem insipientis praecipitabunt eum in mala [3]; os vero eius durum mortem advocat. Os stulti contritio ipsi est et laqueus animae eius labia [4].

Si autem qui vir nostrum vel quae femina vestrum per duos dies vel tres vel quattuor vel his plures Dei causa cibo et potu abstinere decreverit et aliqui in eos coniura(bu)nt ad comedendum eos vi
* p. 60. inducentes, * pecca(bu)nt et alii, quos inducent, perniciem non effugient; nam electiores sunt Deo ii, qui dixerunt : « Comedemus » eo die, quo se comesturos dixerunt neque comederunt, quam ei, qui dixerunt : « Non comedemus » eo die, quo dixerunt : « Non comedemus » et comederunt.

Sin autem senex aliquem videt asperitate vitae vel etiam aliis rebus Dei causa *susceptis* fatigatum et ad cibum sumendum cogit, officio satisfacit et ipse scit, qua de causa illum ad capiendum cibum vi adegerit; ipse enim Deo rationem pro illo reddet.

Nemo apud nos aut apud vos homo mane vel vesperi vel nocte *diei* dominici vel hora sacrificii, nisi ante pulsatum erit, ad conventum poterit se conferre.

Porro autem omni tempore, cum ad storeas coetui expandendas ituri sunt, si *id* quidem mane erit, terni ibunt, bini ex iis, qui officiis hebdomadis fungentur, et singuli ex eis, qui curam domus administrabunt, praeses vel vicarius [5]; sin autem vesperi erit, bini ibunt vel singuli. Si accidet, ut praeses vacet et vesperi binos vel singulos illos comitetur, melius erit. Tantummodo pueri nullo loco sive nullo tempore, mane vel vespere, ad storeas coetui expandendas bini accedent, nisi forte homo grandis Dei*que* metuens eos comitabitur. Et quemadmodum apud nos faciunt, ita vos ipsae quoque facietis : ne puellas sinatis binas abire, ut lucernam coetui mane
61. accendant vel mandatum conventus * hora vespertina exsequantur lana, quam tractabitis, ponenda, nisi forte praeses vel vicaria vel

[1] Vel : qui in coenobio nostro. — [2] Cf. *Prov.*, XIII, 3. — [3] *Prov.*, XVIII, 6 et sq. — [4] *Prov.*, XVIII, 7. — [5] Ad verbum : secundus.

femina aliqua grandis et disciplina Dominique timore perfecta aderit.

Nullae unquam e vobis feminae ad nos venient, ut sanguine secum coniunctos invisant neque aegrotantes neque morientes. Nec ad eos, ut ipsos visitent, venire vel andronitidem (?) eorum introire poterunt ut initio, antequam primus pater noster dedisset operam, ne quaepiam vestrum ad nos veniret, ut sanguine secum coniunctos apud nos visitaret aegrotantes vel ut veniant ad eorum andronitidem (?).

Nullae apud vos feminae hominis alicubi aegrotantis invisendi causa prodibunt, sive peregrino in loco *est* sive in vico vobis propinquo sive mas est sive femina sive ipsis cognati sunt sive ab ipsis alieni. Neque ulli apud vos ad ostium senes [1] e vico aut ullo alio prorsus loco prodibunt hominis aegroti invisendi gratia, nisi eis a sene, qui apud nos est, concessum erit. Neque ullae apud vos feminae pedem limine communitatis efferent aut ut [2] ad aliquam rem se conferant, nisi se conferre a sene iussae erunt.

Quicumque inter nos unquam sive mares sive feminae morientur, ternis paribus vestimentorum binisque fasciis e patrum nostrorum legibus contenti erunt. Quibus *nihil neque* detrahi neque addi poterit praeter pueros aut puellas. Non referentur inter eos.

Quae autem quoque tempore apud vos morientur, eas fratres* * p. 62. profecti psalmis prosequentur et elatas sepelient. Et qui psalmos recitaturi sint, designabuntur, dum in communitate erunt. Priusquam eo abierint, nemo psalmos recitabit neque quisquam omnino praepropere dicet : «Hic vel ille psalmos recitet», nisi qui a sene constituti erunt, et ipse quoque insuper consulet me et praesides domus vel eorum consiliarios.

Illo tempore neminem vestrum videre poterunt neque vos eorum quemquam aspicietis propter disciplinam neque quaequam vestrum e communitate prodibit, ut eos ad montem [3] sepulturae causa comitetur, nisi sola anus cum sex aliis feminis gravibus multos*que* annos natis. Hae solae eos comitabuntur alicuius mulieris causa, quae propter filiam vel matrem vel sororem suam apud vos in communitate mortuam ad montem venerit. Et *quidem* post fratres incedetis et *spatio* fere funis agris metiendis disiunctae ab eis manebitis.

[1] Neque ullae.. anus (ϩⲗⲗⲱ suspicor). — [2] Aut particula orationis intercidisse videtur aut ἀνακόλουθον quoddam statuendum, ita ut vertendum sit : aut ad... conferent — [3] Sive : in desertum.

Nemo sacerdos peregrinus aut diaconus in vestram communitatem introibit, ut eam, quae e vita cesserit, condat, nisi forte solus vici vobis propinqui sacerdos et diaconi vel lector, quem ut recitet secum adduxerint.

Et quae quoque tempore a vobis demortua erit, eam in magnum conventum deferetis et lectiones precesque facietis pro nostris ipsorum consuetudinibus. Attamen psalmos recitare prorsus non poteritis neque pro ea, quae mortua erit, neque nocte[

(*desunt circiter mille litterae*)

* p. 63. * Nullae e vobis sive feminae adultae sive puellae contrahent sibi proclivitatem vocibus oris implendi conventum vel alia aliqua omnino loca et aspiciendi homines ordinatos [1] vel fratres mortuam circumstantes vel prosequentes. Sed cum fratres et homines, qui cum eis vel ante ianuas communitatis erunt, portis conventus exierint, anus et sex aliae feminae graves multis*que* annis probatae egredientur et [eos eaedem sequentur] procul *inde* incedentes, non modo... quam (?) diximus, dum ad eum locum, quo mortua sepeli(e)tur, advenerint.

Ibi nemo e nobis homo cum ulla e vobis homine vel alia aliqua omnino homine peregrina loquetur. Neque ulla e vobis femina loquetur cum ullo ex eis viro, qui ad montem vobiscum venerint. Sed humatione *feminae* mortuae confecta precationes fient et fratres cum omni prudentia ad nos revertentur in communitatem et vos ipsae cum omni modestia (?) revertimini in sedem vestram, ne quis nostrum apud nos aut apud vos ulli omnino homini sit offensioni
* p. 64. ne*ve* ipsi reprehendamur, sicut * multae communitates sermonibus carpuntur, cum contumeliis afficiuntur non propter eos, qui iuste in eis faciunt, verum propter eos, qui cum ipsis habitant *et* qui impie agunt, cum nomen Dei ob eos blasphematur [2] ab eis, qui Deum ignorant, et impuri isti a vere fidelibus comtemnuntur, qui de iis lugent, quod socii peccati sunt contumelia Deum insequentes pravis suis operibus, eo quod non modo legem migrant, verum etiam patrum suorum neglegunt praecepta.

Universa verbi divini incusatio ex parte illas communitates reprehensione quadam vituperat nosque ipsos atque etiam totius orbis terrarum *homines*. Hoc alterum porro invenietis scriptum in chartis ab initio scriptis. Dicere vero, quo pacto factum sit aut quis

[1] Vel potius : ritu funebri fungentes. — [2] Cf. *Rom.*, II, 24.

consuluerit ei, qui scribit, ut omnia haec verba et universas has res, quae in chartis scriptae sunt, proferret, nemo scit homo, sed invenietis etiam id in iis scriptum, cum verbum divinum eos, qui licet a Deo missi non sint currunt[1], reprehendat et beatos praedicet eos, qui bona nuntiant, cum Dominus eos miserit. Et rursus eos abominatur, qui insolenter et turbulente : « Undenam, inquiunt, scriptor haec verba hasque res prompsit ? »

Ceterum sanctus quidam secundum id quod cogit(ab)at alicubi dixit[2] : « Quis me dicet mentiri ? » Idem autem dico *ego* : « Quis me dicet mentiri ? » Nos et totius orbis terrarum *homines* omnia peccata * subegerunt, eo quod legem Domini deseruimus, atque illi ipsi * p. 65. quoque in omnia mala lapsi sunt, quia a praeceptis recesserunt, quae patres eorum ipsis in epistulis suis tradiderant.

Quare ei e nobis sive mares sive feminae, qui Deum Dominum Iesum cupiunt sibi bene dicere spiritumque suum ponere super se, quemadmodum scriptum est[3], et per angelum suum se custodire, quoad *vita* defungantur cum omni patientia atque ad ipsum deveniant, omnia observabunt praecepta, quae patres nostri nobis dederunt inter nos et satanam diiudicantes non secundum gloriam neque secundum eloquentiam, sicut scriptum est[4], ut nobis praeciperent doctrinas, mandata hominum secundum libros *divinos*[5], sed tota sua gravitate verbum Domini toto suo animo nobis nuntiantes eo consilio, ut vitam adipisceremur in aeternum.

Nulli unquam e nobis homines cantabunt eo loco, ubi *homo* mortuus positus est, aut in turba hominum, cum ad eum sepeliendum incedent, aut ea hora, qua sacrificium conficietur, aut in aliqua alia eiusmodi occasione, cum congregati erimus, si iussi aut constituti non sunt — praeterquam nocte *diei* dominici — ut singuli eorum, qui in columna recitabunt, ad leges patrum nostrorum cantent. Bis in hebdomade semper sacra faciemus, vespere sabbati et primo mane *diei* dominici.

* Pro singulis, qui quoque tempore in nobis sive mares sive * p. 66. feminae morientur, stipes, si nobis praesto erunt, ter dabimus, *primo* eorum mense et sexto eorum mense et anno eorum exeunte, et sacrificia singulis mensibus pro eis conficientur, quoad annus eorum absolutus erit. Tertio eorum die et septimo omnes

[1] Cf. IER., XXIII, 21. — [2] IOB., XXIV, 25 (?). — [3] MATTH., XII, 18. — [4] Cf. I *Thess.*, II, 5. — [5] MATTH., XV, 9 ; MARC., VII, 7.

simul congregabimur; et exinde per eorum mensem *nos* soli huc semel conveniemus. Et ii fratres, qui sunt in communitate minore, semel inter se soli convenient. Et vos quidem ipsae semel inter vos convenietis, dum nos simul circumierimus [1], modo ne consuetudinem asciscamus sacrificium saepe conficiendi, sicuti nonnullorum mos est, qui non solum saepenumero, diebus inter se propioribus, sacrificant, sed cottidie semper offerunt. Atque utinam ante etiam se probarent, quam de pane ederent et de calice biberent, ne corpus sanguisque Domini gravi damnationi fieret [2] istis caecis, qui caecos ducunt [3]. Ut nemo e nobis remanere poterit, ne hora praedicationis ad conventum se conferat — nisi forte res quaedam necessitate cogente a sene ei demandata fuerit — sic etiam nemo e nobis ea hora, qua sacrificium conficiemus, abesse poterit neque quisquam morabitur, quominus eat, nisi forte a sene apud nos et ab anu apud vos iussus erit.

* p. 67. * Homines e nobis sive mares sive feminas, si gravibus tentantur morbis, toti communitati notum sit impeditos esse, quominus ad conventum vel sacrificium se conferant.

Precamur autem in conventu vel in domibus vel aliis in locis, cum homines *aut* bini vel deni vel viceni vel quinquageni sumus aut universi congregati sumus. Si ad genua flectenda pulsabitur, omnes simul cito flectemus; et si ad surgendum pulsabitur, uno rursus tempore cito surgemus. Si qui nostrum apud nos et apud vos invenientur, qui, postquam ad genua flectenda pulsatum erit, flectere omittant vel qui, postquam ad surgendum *pulsatum* erit, omittant surgere, pro merito tractabuntur sicut *aliquis*, qui per malitiam deliquerit.

Porro autem si secundum id, quod supra diximus, congregati precatione utemur, nemo nostrum humi tergum incurvet neve faciem, cum *figura crucis* se signaturus est, parvo momento cruribus omnino ingestam teneat; sed singuli nos sive mares sive feminae iusta ratione recti stabimus et cervices capitaque tantummodo pauculum inclinabimus, quotienscumque *signo crucis* nos notabimus. Precatio vero illa, qua homo se multum humi prosternit, quando

* p. 68. inter precandum *figura crucis* se signaturus est, * inter parietes nostros conveniens est; id inter preces ob gravitatem corporis et somnum facimus. At si quis sibi precanti molestiam inferre vult,

[1] Agitur de sacro piaculari. — [2] I *Cor.*, XI, 28 et sq. — [3] Cf. Matth., XV, 14.

id a locis, ubi magnae quae preces faciunt turbae congregatae sunt, alienum est.

Praeterea autem si vir vel femina inter nos invenientur brachia precantes costis admovere, reprehendentur haud secus atque ei, qui praecepta Domini migraverint.

Desunt circiter 1800 litterae. Ex eis, quae hic desiderantur, florilegium sinuthianum (cod. B.) haec duo fragmenta servavit :

1. Eiusdem.

] et ut eas (?) expandamus et insuper etiam cum iactantia quadam eas (?) tollamus et praeterea ne exclamemus in media multitudine precantes cum simulatione quadam neve porro fiamus illorum iumentorum instar inter precandum Dominum non supplicantium, velut si simulacra sint, quae non loquuntur. Etenim homo, qui inter precationem per mentis obtusionem hebes circumspectat, turpior existimandus est quam qui...; quia is, qui eo loco, quo constitutus est..., nihil prorsus mali agitat animo; homo vero insipiens tantum abest ut bona inter preces cum animo suo reputet, ut etiam mala meditetur nec erubescat, quod corpore solum Deo praesens adest, mens autem eius procul ab ipso vagatur cogitationes amplexa pravas vel cogitationes fraudulentas et [.......] peccata[.......].

2. Ei[us]dem.

Pr[opt]erea adver[sus] perversam cogitationem, * [quae] cottidie * p. 69.
nos oppugnat, perpetuo oportet nos certare, ut a nobis eam depellamus, maxime vero ea occasione vel eo tempore, quo precantes in conspectu Domini positi erimus, ut digni fiamus, quos consilium sanctum custodiat et cogitatio bona at[tend]at [1], quemadmodum scriptum est, ut nos conservet a via mala et ad omnia mala ferente et ad *eum* hominem, e cuius ore nihil unquam veri prodierit, satanam.

Post lacunam illam 1800 litterarum textus hoc modo pergit :

] eodem modo fiet, si qui fratrum, qui in nostra communitate sunt, in communitate pernoctabunt minore.

Porro autem si accidet, ut aliqui fratrum in meridiem versus ad

[1] *Prov.*, II, 11.

eorum fratrum, qui[1] in vico sunt, communitatem tendant, ut, cum aedem aliquam ipsis vel aliud huiusmodi opus exstruant, aliquos ibi dies agant, et necessitas pernoctandi ibi, quoad finierint, eis obveniat, esculenta omnis generis ipsis necessaria ex hac nostra communitate eis suppeditabuntur. Eiusmodi nihil plane apud vos eis tribuetur nec spectare omnino eos operantes sinentur; sed domos suas ingredientur multumque ibi animos habebunt collectos, plus quam more cottidiano, dum opus istud absolverint.

* p. 70. Sin autem eveniet, ut fratres, qui in hac nostra sunt * communitate, aliquando se conferant in communitatem minorem vel ut fratres, qui sunt in communitate minore, veniant aliquando in hanc nostram communitatem aut etiam in meridiem versus ad eorum fratrum, qui[1] in vico sunt, communitatem tendant mortuae cuiusdam sepeliendae causa, commodissimum erit non multa in itineribus verba facere, verum omnes recitare, dum in communitatem nostram veniant et dum in communitatem minorem ingrediantur.

Si vir vel femina inter nos inveniuntur, qui omnium rerum ex eis, quae extra triclinium ipsis praebentur, suas portiones sumant *et* in vasa sua, in quibus eas deponunt, sibi colligant aliquamdiu ab iis comedendis se continentes, contra vero id comedentes, quod tum in triclinio concupiscunt, et si fit, ut dicant : « Nos quidem hebdomades vel dies agemus olera solum vel panis frustulum comedentes », — per simulationem in triclinio inter fratres se continent et satis famelici surgunt et aggressi id, quod cupiunt ex eis, quae de portionibus suis ita sibi captis vel aliis harum similibus sibi reposuerunt, manducant fallaciter huiusmodi ratione ieiunantes. Ita facere inter nos minime sinentur, quoniam abominandae Deo sunt in communitatibus suis eiusmodi res.

* p. 71. * Quicumque autem sive mares sive feminae ad nos venient, ut monachi fiant, prius omnes eas res, quae sunt eis, in ministerium dimittent, ex quo ostiariis in locis communitatum Domini versabuntur. Et mense primo aut altero aut tertio post, quam ingressi erunt, universi omni quam attulerint rei scripto ad leges patrum nostrorum renuntiabunt, ne quis eorum qui patientiam suam in nobis negabunt affligat eos, qui venient ad patientiam [. . . . .]et haec lex[. . . . .] Scribere eos decebat, priusquam in locum ostiarium communitatum Dei venirent. Qui vero praeceptum non

[1] I. e. ad earum sororum, quae (?).

sequentur, ut scripto renuntient eis quae dimiserint, vel si qui invenientur, qui aliquid ex eis, quae possident, sibi retinuerint [. . . . .] et [. . . . .] removebuntur e [communitatibus Dei. . .

61. De vita monachorum. VIII.

] ut nobis bene dicat, sicuti Abeli *illi* iusto, qui Domino *res* quas habebat exquisitissimas sacrificium obtulit[1]. Quare de iis, quae nobis sive pretiosa sive vilia singulis *vel* temporibus vel annis vel diebus * parta erunt, egenis largiemur, eo ut Dominus nos diligat, quemadmodum scriptum est[2] : «Hilarem datorem rerum non admodum speciosarum Dominus diligit». Verum Deus eos quoque diligit omnes, qui omni loco secundum id quod scriptum est[3] preces suas supremo *Deo* offerunt et ieiunia sua et puritatem suam et sacrificia laudis Dei secundum id, quod scriptum est[4], et omnia bona ex rebus omnibus, quae nobis factae sunt. * p. 72.

Porro libros, qui nobis praesto non sunt, si quidem nobis, ut eos inspiciamus aut in eis scribamus, opus erunt, sene non concedente foris arcessere nobis non licebit neque libros, quos legere convenit, si foris nobis afferentur, aut epistulas, priusquam ei ostenderimus, nulli nostrum trademus. Neque quisquam omnino e nobis, antequam ei significatum erit, eas leget, quandoquidem fortasse res, quas hominem audire dedecet, in eis sunt, ne ipse eis offendatur; nam alii quidem multas res scripserunt noxias, alii autem plurimas scripserunt res salutares.

Praeterea autem cum *aut* fabro lignario vel ferrario vel murario aut medico, si quid nobis efficient aut si a nobis accipient[5] vasa testacea vel instrumenta ferrea vel utensilia lignea aut si aedificabunt, cum murarii sint aedificatores, nobis opus aliquod aut si vulneri, quod alicui e nobis inflictum erit, medebuntur, cum his ceterisque de pretio nobis conveniet aut mercedem earum *rerum*, quas * ab eis acceperimus, eis dabimus aut videbimus, quid ipsis eius rei quam nobis praestiterint retribuamus compensationem, ne qui nos irrideant, velut si lucri turpis simus cupidi. * p. 73.

Nulli e nobis homines medicum adibunt, ut medicamentum sibi

[1] *Gen.*, IV, 4. — [2] II *Cor.*, IX, 7. — [3] I *Tim.*, II, 8. — [4] *Ps.* XLIX, 14. — [5] Potius si ab eis accipiemus.

adhibeant contra morbum in *partibus* interioribus occultum, in capite vel in pectore vel in visceribus, nisi forte ob id solum, ut remedium adhibeant..... vel..... vel denti vel oculo omnique morbo eiusmodi conspicuo.

Nulli e nobis *homines* ignem ulli sui parti admovebunt ob ullam corporis aegritudinem aut sanguinem doloris ergo emittent, priusquam de *ea* re cum sene deliberaverint.

Porro autem si in vepreta, ut exigua ad usum nostrum ligna colligamus, exibimus, non magnos vepres nec magnos ramos nec magna omnino ligna caedemus, antequam cum sene communicatum erit, ne homines *male* de nobis dicant.

Et singuli qui sunt in domo nostra et singulae quae sunt in domo vestra eos, qui constituti sunt, ut hebdomadaria *negotia* gerant, *et* propter fornacem sedent, multum inepte imponendo comburere ligni vetabunt. Ita autem omni quo ignis accendetur fiet loco cum ab eis, qui in officinis manus calefacient, tum ab eis, qui olera vel pultes vel aliam aliquam omnino rem coquent sive in triclinio sive in valetudinario vel alio denique aliquo loco, cum ignis, si necesse erit,
* p. 74. propter frigus aut etiam * alium usum accendetur, ita ut omnes caveant, ne lignis prodige utantur; neque enim satis est operam dare, ut ea colligantur et condantur, verum etiam ne ei homines, e quorum vepretis ea colligemus, hac quoque de re nobis subirascantur.

Res et mandata et praecepta universa, quae omnibus in epistulis scripsimus, quater in anno quattuor ieiunii sabbatis necessario legentur, cum et iuniores et seniores una simul congregati audient atque vos ipsae quoque et anus et puellae. Ita facient et omni tempore ea audient.

Presbyter, qui fratres australes i. e. monachas *officii divini causa* congregabit, si *ille* quidem unus de nobis est vel unus, qui [

62. De vita monachorum. IX.

Paenitentiam agamus, quoad tempus est, quo] Spiritus sanctus, qui per prophetas loquitur, salutariter de nobis laetatur hoc nunc tempore libenter pro nobis intercedens [1] : «Dilexisti, Domine,

[1] *Ps.* LXXXIV, 1-8.

terram tuam; avertisti captivitatem Iacob. Remisisti iniquitates plebis tuae; operuisti omnia peccata eorum. Mitigasti omnem iram tuam, avertisti ab ira indignationis tuae. Converte nos, Deus salutis nostrae, et averte iram tuam a nobis ! Numquid in aeternum irasceris nobis ? aut extendes iram tuam a generatione in generationem ? Deus tu conversus vivificabis nos et plebs tua laetabitur de te. Ostende nobis, Domine, misericordiam tuam et salutem tuam da nobis ! »

* Paenitentiam agamus, quoad tempus est, quo Spiritus sanctus, * p. 75.
qui in suis loquitur, pro nobis intercedit [1] : « Convertere, Domine; usquequo ? et exorari te sine pro servis tuis. Repleti sumus enim tempore matutino misericordia tua omnibus diebus nostris et exsultavimus et laetati sumus pro diebus, quibus nos humiliasti, *et* annis, quibus vidimus mala; respice in servos tuos et in opera tua, Domine, et dirige filios eorum ! Sit splendor Domini Dei nostri super nos secundum opera manuum nostrarum. Dirige nos ! »

Paenitentiam agamus, quoad tempus est, quo Dominus ipsi nostrae communitati loquitur sicut Hierosolymis per prophetam suum locutus est [2] : « Ego ero ei, ait Dominus, murus igneus in circuitu eius et gloria ero ei in medio eius ». Ergo si Deus erit alicui communitati murus igneus et gloria in medio eius, qui poterit eam impugnare diabolus ? aut quis poterit in eam intrare satanas, nisi forte opera eorum, qui inter nos sive mares sive feminae stuprum et furtum et mendacium omneque opus malum concupiscent, et *quidem* ad eos, propter quos inimicus ingredietur, ut in eos qui eius sunt *et* qui faciunt peccatum dominetur, quandoquidem secundum id quod scriptum est [3] ex eo sunt, ac non ut dominetur aut plane *ac* prorsus invalescat in filios Dei, qui inter nos sive mares sive feminae sanctitatem appetunt omneque opus honestum ? Absit !

Proinde caveamus, ne magnas divinitus comminationes * cupiamus * p. 76.
neve per mala opera nostra nos ipsi privemus magnis eius beneficiis, quae quidem hoc ipso tempore nobis praestitit, neve minimum demus locum ei quae scripta est orationi, quam quidem terribilis quidam proloquitur [4] : « Si nolueritis mandare menti vestrae, ut honorem nomini meo tribuatis operibus vestris bonis, et [5] scitote, inquit Dominus omnipotens, immittam in vos maledictum et detestabor

[1] *Ps.* LXXXIX, 13-17. — [2] ZACH., II, 5. — [3] I IOH., III, 8. — [4] MAL., II, 2. — [5] « et » videtur esse delendum.

vestram prosperitatem et salutem vestram evertam, ne vobiscum sit, quia vos id mentibus vestris non mandatis ».

Quae igitur est viri vel feminae inter nos utilitas, si Dominus eos hoce tempore ob opera prava eis exaequat, in quos ob mala, quae hisce in communitatibus isti diebus supremis perpetrabunt, iram suam effundet ?

Quid est, quod offensioni sit eis hominibus, qui perseverantiam denegant et uxoris Lot [1] vicem se avertunt ab omni opere bono, nisi falsum gaudium, quod maxime in animis abundat stultorum ?

Quae est ratio, qua homines prudentes perseverantia confirmabuntur omneque exsequentur opus bonum, nisi luctus, qui maxime in animis semper abundat lugentium ?

Propterea paenitentiam agamus, priusquam advenerint *ii* dies, quibus per verbum, quod scriptum est, dicetur [2] : « Vani sunt filii hominum, qui hoc loco habitant; mendaces sunt filii hominum; iuga iniuriae sunt ipsi, cum simul sint ex vanitate ».

Paenitentiam agamus, antequam venerit *ea* tempestas, qua per verbum, quod scriptum est, dicetur hic habitantibus [3] : « Domus
* p. 77. Israel habitaverunt in humo sua et * polluerunt eam in via sua et in simulacris suis », quae sunt desideria animi eorum vel plura habendi cupidines, « et in impuritatibus suis, cum via eorum mihi facta sit instar immunditiei feminae menstrualis. Et effudi indignationem meam super eos *et* dispersi eos in finitimos sicut dispersi eos in gentes et eieci eos in loca vel in pagos vel in urbes et vicos, e quibus singuli et singulae venerant, pariter atque eos in terras eieci, cum secundum viam eorum et secundum peccata eorum de eis iudicavi ».

Paenitentiam agamus, priusquam veniat *ea* tempestas, qua per verbum, quod scriptum est [4], dicetur hic habitantibus : « Quomodo contrivit in furore suo Dominus filiam Sion ? Proiecit de caelo in terram gloriam Israel et non est recordatus scabelli pedum suorum. Die furoris sui demersit Dominus filiam Sion ne*que* pepercit. Omnia speciosa Iacob destruxit in furore suo. Excelsa filiae Iuda solo aequavit. Exstinxit regem et principes eius. Confregit in ira furoris sui omnia cornua Israel. Avertit retrorsum dexteram suam a facie inimici et succendit flammam instar ignis in Iacob. Devoravit omnia eos ambientia. Tetendit arcum suum sicut inimicus. Firmavit dexteram

[1] *Gen.*, XIX, 26. — [2] Cf. *Ps.* LXI, 10 (LXX). — [3] *Ez.*, XXXVI, 17-19. — [4] LAM., II, 1-5.

suam sicut hostis tuus et occidit omnia visui meo iucunda. Effudit quasi ignem indignationem suam in tabernaculo filiae Sion. Factus est * Dominus velut inimicus, demersit [populum[1]], demersit multi- * p. 78. tudinem, dissipavit aedificia eorum munita ».

Flete modo et ingemiscite, o prudentes, qui lugetis de operibus manuum Dei, quae inimicus superabit . . . [...

63. De vita monachorum. X.

] tem[pore] omni [. . .]. . . [. . .] infirmitas nostra nobis saepe obluc[tabitur], maxime quo tempore aegrotabimus aut etiam ieiuniis vel caloribus debilitati erimus.

Quare panem suum qui ad praecepta quae nobis statuta sunt manducabit, is cum iustitia [2] manducet, ne sibi fiat peccato, verum ut potius verbum illud quod scriptum [3] est ei dicat : « Qui manducat, Domino manducat ; gratias enim agit Deo » [. . . confidit. . . . .

(*desunt circiter 120 litterae*)

. . . . . non manducat (?) Domino et gratias agit Deo.

Aegrotus si sustinere potest, sustineat. Qui vero nequit sustinere, Deo convenienter [4] supplicet.

Qui autem fratribus apud nos * et apud vos aegrotis ministeria * p. 79. praestabunt, Deum veriti omnes curent res, quae ipsis a sene apud nos et ab [anu apud] vos praecipientur.

(*desunt circiter 55 litterae*)

]. s[ine se]ne apud [nos], ut cibum [et] potum assignent aliquibus apud vos, qui aegrotant vel non aegrotant, nisi ante eum docuerint.

Contempti Iesu apud nos sunt omnes sive mares sive feminae, qui, ut si aegrotent, aliquam fallaciter postulant rem, cum non aegrotent. Et summe improbantur verbo divino omnes nostri, qui hominibus inter nos aegrotis sive maribus sive feminis sive senioribus sive iunioribus denegent id, quod ab ipsis implorant ex eo, quod nobis praesto est secundum leges, quas patres nostri nobis imposuere.

Boni sunt iudicio Servatoris nostri Iesu ii, qui etsi non aegrotent semel et iterum plus his petunt, ut id cum simplicitate quadam comedant, et Dominum rogant, ut omnium libidinum fugiendarum det sibi facultatem. Mali [sunt. . . .] . . . . [. . . .]. . . [

[1] Vel fortasse : Israelem. — [2] Vel : pietate (?). — [3] *Rom.*, xiv, 6. — [4] Vel : cum Dei caritate.

64. De vita monachorum. XI.

Habent] aures, ut audiant, et mentes, ut intellegant id quod dico : * p. 80. Qui me obtestabitur vel per vim * me incitabit, cum : « Comedes », inquiet, eo die vel eo tempore, quo ego comedere non constituero, pecca(bu)nt et *magnum* habebunt malum homines [1], qui moderatores suos obtesta(bu)ntur et per vim incita(bu)nt, cum : « Comedetis », inquient, et praefecti, qui *sibi obnoxios* homines obtesta(bu)ntur et per vim incita(bu)nt, cum : « Comedetis », inquient. Simulatum hoc est ieiunium servantem id prospectare, ut compellatur *ad comedendum* et comedat. Caritas a prudentia remota ea est et quae ne tollat quidem falsitatem multorum, si homines e domibus suis egressi veniunt, ut aliquem obtestentur : « Non mittemus te, nisi comederis ».

Qui inter nos dicent aut omnino cogitabunt : « Alio cibo corporis indigemus », pecca(bu)nt.

Nemo nostrum quemquam sive mas est sive femina ludificando interrogabit : « Quantum cepisti cibi ? » Etiamsi per iocum id proloquuntur, peccant. Stultus enim ludibrio suo committere solet delictum.

Nemo quemquam stimulabit ad comedendum, sive meti(e)tur sive non meti(e)tur, etiamsi peregrina(bi)tur, cum : « Ecce ego(?) [2], inquiet, hos comede cibos, qui reliqui fuerunt, aut etiam aliud quid », cum alius alium retrahemus : « Ah, alia comedes ». Sic etiam ei, qui in valetudinario sunt.

Patres sane, qui quoque tempore has sedes modera(bu)ntur, prospiciant, ut alium rogent : « Comede aliquid », si id utile esse rescierint, et rursus alii quominus comedat obsistant [3] vel cibum ei subtrahant, si ex usu eius id esse cognoverint.

* p. 81. * Si quando vir vel femina inter nos invenientur, qui de sua portione aliquid demant *et* filiis vel filiabus suis naturalibus aut fratribus vel sororibus suis tribuant aut etiam patri alicui per filium et matri alicui per filiam vel alios sanguine iunctos aut per alium omnino marem vel aliam feminam, ex his sedibus exterminabuntur.

Si quando vir vel femina inter nos invenietur operari, antequam primum ad precandum mane pulsatum erit, a patre harum sedum

[1] Fortasse : et vae hominibus *inferioribus*. — [2] Ad verbum : (Ego) veni; fortasse aliqua interiectio (velut « agedum ») intellegenda est. — [3] Lege ⲉⲧⲣⲉⲩⲕⲱⲗⲩ.

non iussi aut etiam nulla ipsius anus quae in vico est auctoritate, reprehensione afficientur ad modum eius qui pessime fecit, maxime ultro et citro temere cursantes, cum precari nolint.

In his communitatibus semper homines maiores natu, qui ad ianuam conventus vicum incolentium erunt, omnes res quibus indigebunt ex hoce loco accipient sive panem sive olus atque etiam id, quod coquere solent, sive vas escarium [1] atque vestimentum etiam et stragulum.....[

65. De vita monachorum. XII.

Fren]dit in eum dentibus et arcum suum tendit *et* sagittas conicit[2], ut eum prosternat. Multa sunt, quae homini per luctum accidant. Sed talis non est *luctus* simulatorum, qui tetrici sunt *et* facies suas deformant [3] umbrae oblectamenti causa transiturae i. e. iam receperunt mercedem suam [4].

Nemo e nobis pedes in solum agitet nec manus aut baculum, quem manu tenet. An non paulum abest, quin pedibus concrepemus et manibus plaudamus * Chaldaeorum [5] more et inertium quoque * p. 82.
hominum ritu, qui disciplina carent ? An haec est mens hominis, qui se ipse contineat ? Prudentiae aemulati sumus iustorum, ut exemplum sequeremur quorundam stultorum ? Si homo frugi pro sua simplicitate hos errores committit, sapientes dolent, cum talibus eos non convenire videant hominibus. Alias[6] dixi : « Saecularia permittite saeculo ! » Hae res oblectationi [7] sunt animis insipientium illorum, qui sunt in domo laetitiae, non sunt res animi sapientis, qui est in domo luctus [8].

Sunt quaedam res, e quibus homo tantum abest ut commodum consequatur, ut detrimentum contra capiat aliisque inferat. Pater et mater, qui corpus tuum genuerunt, ad eum locum, quem tu aegrotus desiderabis, humeris te deferent omnibusque in rebus te perferent eo consilio, ut *animum* tuum permulceant. Si turba hominum congregatorum una habitabunt, singulorum mentes non poteris perspicere, etiamsi accidat, ut simul tecum aegrotantium instar sint. Cum a te recedent, maxime cum morieris, haud effugies eorum criminationem et quiritationem.

[1] Vel : sive escam. — [2] *Ps.* vii, 13; xxxvi, 14; lvii, 8. — [3] Matth., vi, 16. — [4] Ibid. — [5] i. e. magorum (?). — [6] Vel : iam. — [7] Vel : fraudi. — [8] *Eccl.*, vii, 3.

Quare nemo e nobis iurabit : «Non quiescam in lecto, donec morior», et : «Hoc et hoc mihi non substernam» vel : «Hac et hac re me non tegam» vel : «Illud et illud capiti non substernam» — nescit enim homo, quid sibi eventurum sit — forsitan tantum abest, ut eis quae nobis statuta sunt acquiescas, ut aliis *rebus* abundes, quandoquidem hac tantum ratione exsistunt, vel si ne quaeres quidem plura his, et aliqua re laborasti vel aliquid profecisti. Si promisisti te tibi saccos substraturum esse vel tibi eos induturum,
* p. 83. *dum moriaris, nec in lecto te cubiturum, ne*que* existimabaris neque etiam existimaris desciscere, si in humeris aliorum, qui te portant, inveneris *et* ipsis *et* tibi afferens molestiam. Multi homines viam itineris omnium hominum reiecerunt, cum aliis in viis incesserint, se primos fore rati; qui in via erant, priores ipsis pervenerunt ad locum, quo ituri erant, cum pedes *ipsi* vulneraverint *et* incesserint claudicantes [

(*desunt 6 paginae*)

] tota Iesus (?). Quis est, qui hoc nesciat, corpus suum [1] sepulcro cuidam illatum esse ?

Propter eos, quos quoque tempore Deus inter nos *morbo* tentabit, eo tempore, quo animam deponent, quicumque in his communitatibus versabuntur, convocabuntur et ad eum, quo positus est, locum venient et eo numero, qui constitutus est, ter cantabunt terque precabuntur, sexies singulis temporibus. Deinde abluetur sive lavabitur. Si quidem nox erit, ad tres vel quinque homines apud eum circa collocabuntur, quoad lux intret, eumque ad conventum deferent. Semel recitabunt [2] et cantabunt, iterumque precabuntur et consident. Et quinquies recitabunt rectum ad modum rursusque quinquies cantabunt. Ter singulis temporibus precabuntur. Tum eum (*i. e. mortuum*) curabunt. Quo facto rursus precabuntur, i. e. preces triginta trium numero *facient*, et eum efferent cantantes, quoad sepeliatur.

Homines, qui his *commorantes* in sedibus venire vel eos, qui
* p. 84. morientur, sepelire omittent, digni non erunt, qui fratres * nominentur. Nam si pater vel filius eorum et mater sororque eorum vel frater germanus una simul essent, non solum non remanerent, verum nemo eos quominus irent tenere posset, etiamsi propter virium defectionem eis per viam rependum esset.

[1] Vel : eius. — [2] Lege ⲉⲩⲛⲁⲱϣ (Leipoldt).

Si quis inter nos vir admodum consenuerit vel quae femina ad summam senectutem venerit, contra suas ipsorum voluntates ieiunare neuter cogentur, etiamsi quadragesima et etiamsi magnum sanctum*que* pascha erit, licet sustinere possint usque ad vesperum illis diebus, qui ligati sunt vel qui omnes obligant ad certamen ieiunii et precationis omnisque laboris ad Dei *voluntatem* subeundum.

Eiusdem condicionis est vir vel femina, si morbo attenuati sunt vel plaga affecti — sicuti sunt, quorum debilitatem ii, qui has sedes incolunt, magis autem homines, quibus commissi sunt, testantur.

Item si vires amittent, quoniam in dormitoriis suis nostra *opera* indigebunt, cum sani erunt vel non *erunt* [1], sicut in senectute sua et summa aetate optabunt, ita curabuntur et id, quod ipsis apte substernetur, providebitur, quin etiam pellis ovilla atque pulvinar aut etiam alia res ad eum modum, quo eis in domibus suis praebentur, quoad opus est eos deferri ad locum eorum, qui ad conventum se conferre nequeunt, ibique cubare.

Si quis est, cuius morbus qualis sit testimonia probare non potuerint, si videant ipsi necesse non esse cibum suum sumere [

66. * De vita monachorum. XIII.

* p. 85.

] qui in ministerio sunt sive in aliquo opere neque id indicabunt, sanguis eorum in ipsorum caput *recidet,* nisi eos, a quibus constituti sunt, docuerint. Si vero eos docuerint nec ab eis adiuti aut cito amoti erunt, sanguis eorum in ipsorum caput recidet.

Nemo e nobis quidquam repudiabit, quod non comedat aut animus eius non cupiat, cum fratres id omnes comedant. Ad cibum, qui tibi non lubet, quis te subigit comedendum [2] ? Aut cur tandem eum comedisti ? Quid est, cur eum repudies ? Locum gratiae non referendae alteri das tuum exemplum secuto. Aut quis omnem rem, quae solet comedi, quin etiam quae sale consperguntur herbas instituit nisi Deus ?

Res vere mala — id in aperto est. Dicant eam ei, qui pro omnium has communitates quandoque incolentium dolet animis. Quousque vestras sive mares sive feminae alter alterius evertitis animas eo, quod vestram rem sive causam celavistis potius quam aperuistis ?

[1] Lege ⲱⲱⲟⲛ (?). — [2] Ad verbum : subigit : comede.

Si ipsi parentes vel principes haec talia dicunt, cui ea filii vel plebs dicent ?

Hominem vere aegrotum quis est qui nesciat stomacho[1] ab omni re abhorrere ? Homines, qui suo victu uti non prohibentur, hoc agitant : «Quid stomachus meus non*dum* accepit ?» vel : «Quid comedere non*dum* concupivi ?» vel : «Postquam ea comedi, quid feci ?» Quae comedisti, ea tibi placent; eae sunt tuae normae. * p. 86. Aliud est stomachum omnia respuere, quia aegrotat, aliud te * supra ea, quae ventriculus tuus admisit, te ipsum vi adigere. Maxime vero homo, qui aegrotationibus affectus est, non satiatur. Tu noli haec excedere. Satiatus es eis, etiamsi panes sint, et vix te abstines ab aliis, etiam si esculenta sint.

Nisi *homo* vere aegrotus ad aliquid manducandum se vi adducit, stomachus eius occludi solet, ita ut omnia respuat. Persiste tu in inedia; esuri tu; cave tu, ne in acervum alimenti effundaris : iam cognosces omnia fore dulcia, quin etiam panem hordeaceum et herbam ad vescendum idoneam. Cur?

Quoniam pudet nos magis dicere : «Aliquam rem comedimus», quam nos pudet dicere : «Paululum comedimus», videtis, quantum sit huius simulationis damnum (?) [

67. De vita monachorum. XIV.

]en (?) ea, de quibus sumunt, nec panis qui comedatur est aut vinum quod bibatur. Si ita est, bene est. Oderunt eum, quod ipse quoque omnesque homines panem edunt et vinum bibunt. Si igitur Christi corpus et sanguis est, nos condemnabit de animi nostri cupiditatibus, quod cibum animae duximus pro cibo corporis et potum animae duximus pro potu corporis.

* p. 87. * Mas vel femina, per quos hoc delictum etiam iterum in his sedibus proveniet, postquam multa id opera depulimus et interclusimus, ita ut multos ea re a nobis abalienaremus, ex quo nobiscum erat parens noster primus — num quis mitior erat homine illo beato? An fames non erat *illo* tempore, quo eum, qui hanc rem perpetraverat, numeravit inimicum? i. e. omnes omnino homines [2] de sua parte amovit sive popularem sive peregrinum sive egenum aut pupillum

[1] Ad verbum : animo suo. — [2] Ad verbum : rem hominis (sive humanam) omnino.

aut hominem aegrotum aut claudum aut caecum aut alium denique hominem. Et qui quandoque in his communitatibus id audebunt perpetrare, in eos exsecrationem suam atque iram suam Iesus effundet, non salutem, ut opinantur, nec gratiam suam. Actiones hae sunt *eorum* hominum, qui legi se communitatis non subiciant.

Omnis res exquisita, omnis res vilis sive panis sive edulium sive olus sive res salsae vel coctae vel cucumeres vel alia denique res ita nobis praebebuntur, ut Dominus eas paravit vel parabit. Qui quoque tempore has communitates incolent, communiter eas * comedent. * p. 88. Nec unquam quisquam sive ulli rebus exquisitis vel iucundis vescentur, cum alius sive alii vilibus vescantur vel abiectis. Et culpa eorum, qui rebus bonis vel malis vescentur, haerebit in eis, qui ministrabunt vel partes *ratas* distribuent. In eosdemque gemitus eorum, qui rebus vescentur malis, ingruet, quia omnes res inter ipsas non reddunt pares vel non permiscent [1] aut etiam, quod haec semel non praebuérunt, alia vero iterum atque adeo [2] ea, quae ad vescendum inepta sunt. Oculus enim nequam [3], qui corpus hominis reddit tenebricosum, *eo* feretur, ut quod exquisitum est in mensa, id sumat et manducet, quod vero vile est, id alteri relinquat, sive panes sunt sive olera bona sive alia quae res, quin etiam una oliva resque omnes, quae fratribus apponi solent.

Et acetum etiam iis fratribus, qui [4] in vico versantur, hic miscebitur et, sicut hic habitantibus mixtum erit, singulis temporibus mittetur, ut rebus *et* exquisitis et vilibus communiter utantur.

Et omnes res, quae (hic parabuntur et omnes res, * quae) [5] illic versantibus parabuntur, huc mittentur et miscebuntur eisque pariter praebebuntur, quin etiam eis, qui sua sponte et voluntate [6] ab eis abstinebunt. * p. 89.

Item autem semper hic parabitur vinum sacrificale et illuc ad sacrificium transferetur.

Sed quoniam stips divinae misericordiae multis bonis vel etiam victima acceptior est, idcirco eos, qui harum communitatum appellantur parentes, omnes oportet res conservare. Proderunt homini, qui aegrotantes [7] vere, ita ut eas, etiam vinum, aversentur, novit, ut eis id non de malo largiatur, sed de optimo.

[1] Vel : disponunt (A). — [2] Vel : quod modo haec non praebuerunt, modo autem illa (alia) atque adeo... (B). — [3] Cf. MATTH., VI, 23. — [4] iis sororibus, quae (?). — [5] Quae uncis inclusa sunt, videntur redundare. — [6] Sive : pro suo studio. — [7] Ita secundum lectionem B.

Item erit in rebus omnibus, ut ii, qui his in communitatibus versantur, alii aliis eas provideant ob reverentiam Iesu sine iniquo *quorundam* studio aut pluris habendi cupiditate.

Et qui, etiamsi homo conspicuus sit, aliquam rem, quin etiam grana quaedam medicata, in suam solius potestatem convertet, cum «Mea est» inquiet, hostis *iste* erit huius societatis, quandoquidem * p. 90. parva quaedam tum sibi * seposuerit. Multi inter nos sunt, qui magna sibi removebunt.

An numquam scrobiculos in aggeribus factos vidistis excavatos et admodum dilatatos esse, ita ut «funes agrimensoris»[1] efficerent? Multi propter labores impias iactarunt voces eosque, qui non vigilaverant, conviciis insectati sunt.

Qui vero de nobis alterum fratremque offende(n)t sive re aliqua in suam potestatem convertenda vel re aliqua de mensa seponenda sive verbis non rectis aut etiam alia re, iis Dominus maestitiam inferet et gemitum eius, qui de rebus, quae in his sedibus factae et futurae sunt, animo afflictus erit.

Est, qui arbitretur obsequium se praestare Deo pariter atque ei, de quibus evangelium loquitur[2]: «Veniet hora, cum omnis, qui interficiet vos, arbitretur obsequium se praestare Deo». Eiusmodi sunt ipsi humanarum interfectores animarum, qui quidem aliquos e nobis praecepta nobis scripto mandata observare dedocebunt.

* p. 91. Est, qui verbis suis et doctrinis atque etiam * ipsis operibus improbus sit dicatque: «Absit, ut in conspectu Domini peccatum committam et iustitiam in conspectu Omnipotentis pervertam», tamen iustitiam mendacio contaminet *et* pervertat more Eliu[3]. Haec est ipsorum ratio agendi improborum, qui quidem hominum ab eis, quae nobis scripto *mandata* sunt, animos avertent.

Numquam homines quattuor illis sabbatis, quibus congregari quotannis solemus, apud se manere sinentur, ne ii quidem, qui monachi fieri concupiscunt et aures praebere doctrinis *divinarum* litterarum — omnia enim tentavimus; hoc salutare est; ecce enim ecclesia Domini et leges toto sunt orbe terrarum — praeter solos hospites, qui ad ostium deverténtur aut etiam alicuius negotii causa ad nos procul venerint. Hi porro alicubi per se soli erunt.

In his communitatibus semper statutum est, ut ei, qui ad ostium devertentur, bis cibo reficiantur — praeter eum, qui sua sponte

[1] i. e. schoenos. — [2] Ioh., xvi, 2. — [3] Iob., xxxii-xxxiv.

comedere recusat — ne propter infirmitatem suam nomen Dei blasphement [1]. Neque quisquam ex eis, qui ad locum ostiarium venient — nisi qui solus manere volet — incenatus cubitum ire cogetur, etiamsi tempus quadragesimale sit vel sollemne pascha vel etiam alius dies. Et sabbato, quod post pentecosten agimus, cum ieiunii tempus est, si peregrini ostiario in loco erunt * vel aliqui procul advenerint, cibo alentur, nisi forte quis ad vesperam solus manere volet. Nec unquam cibo quisquam denegando offendatur, si ieiunium exactum erit — exactum est autem hora nona — ratione eius habita, qui ad nos devertit febri implicatus, ne nobis maledicant, velut si cibis pepercerimus, ac sibi ipsis maledicant pro irrisione animi sui. Aut quid sunt, quod bene valemus vel laboramus. . . [

* p. 92.

68. De vita monachorum. XV.

]curam non adhibeo de homine, quod inutilis sit, vel iumento. Etiam si hoc sit, res bona est, ne dictum illud convertatur, ut non *id* quidem dicatur [2] : « Alius quidem esurit, alius autem ebrius est », sed dicatur : « Alius quidem labore pressus est, cum a mane ad vesperum operando affligatur, alius autem a mane ad vesperum otiatur ». Itaque nolo homines inter nos detrimentum capere vel offendi, cum aliquos videant et conspiciant temere per conventum vagari, ita ut in animis aliorum haec oriatur cogitatio : « Utinam nos ex eo numero essemus ! » Etenim ipsos quoque saepenumero video in *aliam* de alia domum et e loco in alium *locum* transferri erubescentes.

Ne hanc autem rem quidem eos, qui haec coenobia incolunt, omisi docere exclusos eos esse atque perversos iis, qui desides erunt, vel ipsi seni bono, qui obdormivit et accusatus est ab hoc et his et ali[is. . . . .] hi sunt[. . . . . . .]. . . [. . . . .] * [. . . . .] Qui [3] in vico sunt, videbunt, quid sibi panium quotannis sumant, et eos sibi sument tempore pinsendi, cum rebus ad vitam necessariis neque indigere neque tamen abundare sinantur, ut id, quod restabit, postquam finem panis parandi fecerint, comedant neve ex iis huc afferant, verum si quid indigebunt, sumant sibi ad [mensuram] bonam [. . . . .]. . . [. . . .]. . . . [. . . . .]. [. . . . .]. . . [

* p. 93

(*desunt circiter 35-40 litterae*)

]quem (?quod?) sibi accipient neque reminiscentur laborem

[1] I *Tim.*, vi, 1. — [2] I *Cor.*, xi, 21. — [3] Quae (?).

hominum iumentorumque, quem ipsis duplicant, ac damnum quoque, quod fractione interituque contractum est, ita ut dimidium non inveniatur (?) admovere dimidium, ut integra sint, cum eos convertimus, dum decidant.

Homines, qui in vicis vel in agris sunt, ne ad oblationem in communitatem quoque accedant neve oblationem vel aliam ullam rem ab eis auferant, ne discordia ulla de re rursus oriatur, quemadmodum antea ibi orta est, et in communitate [etiam minore

69. De vita monachorum. XVI.

]attende tibi et insta illis doctrina; hoc enim faciens te salvum facies et eos, qui te audiunt [1].

Optabam equidem, fratres, ut sapientes essetis et quae vobis essent honori intellegeretis. Non igitur ea intellexistis neque cognovistis esse rem, quam multis ligare soleant vinculis plurimos ei
* p. 94. reddentes nodos. Ne*que* ligata * neque omnino confirmata est instar eius, qui uno ligatus est vinculo.

Lapidem, qui ad eum offendunt, non laedunt aut vulnerant; sed ipsi ab eo laeduntur et conteruntur sive percutiuntur [2].

Communitates multi sunt qui doctrina instruunt praesides, singuli verbo suo et lege sua et eo quod dicere cogitabunt, quia non unus est eis praeses neque quisquam eos instituit nec est, qui quod iustum est cogitet.

Quae est res vel lex intempestiva, quas ii, qui his in sedibus sunt, non faciant aut convertant? Nam quem exspectant, ipse iis tempore ad opera eorum inspicienda intrabit. Aut ad quid veniet faciendum?

Aliquis, qui exstruit cum multis, si ea quae exstruit post eum destruunt, quid consequetur nisi labores inutiles? Murum qui destruit, eum patet destruere murum, non animam neque suam neque alterius. Qui vero ea, quae a Iesu exstruuntur, destruit, suam et aliorum secum animam destruit eumque simul secum prosternit. An Deus non eum attendet, qui res quaspiam sua manu construit lacrimans, quas alii demoliuntur ridentes?

Nisi copia verborum is, qui pro eis, qui his in sedibus sunt, vigilat, decipi non posset. Vae eis esset eo tempore, quo est eis salus, priusquam illud tempus veniret, quo vae eis est.

[1] I *Tim.*, IV, 16. — [2] Cf. Is., VIII, 14 et sq.

Nullas demolientur homines res sive exscindendo sive diffindendo sive conterendo sive comburendo, iis qui his sedibus * semper * p. 95. praesunt non exceptis, antequam de hac re iudicaverint : de aliqua re demolienda vel aliquo vase conterendo, priusquam praeceptum et ea testimonia, quae diximus, perlustraverint.

Si vos, fratres, nescivistis id, quod homo prudens, qui obdormivit, melius intellexit...[

70. De vita monachorum. XVII.

]...in his modis perversis, eos (? se ?) abalienaturi a fratribus, quoniam alia rursus debilitatis genera sunt haec opera stultitiae et impudentiae contumaciaeque plena; quae dedecet esse [1] in sodalicio fratrum prudenti [2].

Vestimentum nemo alvum iturus exoneratum turpiter deducet [3] decentiae causa, aut alioqui id ponas utique super cervices tuas vel in collum tuum involvas, sicuti fecisti in rusticitate tua, priusquam in has sedes venisti.

Homines nostri sive mares sive feminae, apud quos pueri sunt vel puellae, non ante se eos collocabunt, ut precentur, sub se in faciem prostratos. Quid haec et illa pars vestrum facit, homines ii, qui eum, qui haec praecipit, ab initio usque adhuc irritant? Quare non solum omnes nostri exsecrati erunt, qui causa erunt, ut pueri ante ipsos genuflectant, ita ut ipsi supra eos incurventur, verum etiam exsecrati erunt, si eos sine imprudentia prope ad se adiungent sive admovebunt. Quanam in re educati estis? Aut qua in re bonum et malum magis cognovistis quam ei, qui statuerunt : « Cubiti *spatium* intermittetis inter vos et eos »? Aut non videtis depravationem, quam tegimus [4], animi vestri et perturbationem * mentis vestrae * p. 96. insanientis? Et pueri si frugi non sunt, verbum vestrum repudiant, antequam satis intellexerunt, qua in re vos frugi sitis. Mea repudiatis *monita,* quamvis multa evaserit vestra canities. Et utinam ne verbum vos doceat alias canities plus vobis crevisse in modum Ephraim!

Ignoravistis vos, qui ea, quae praecipio, neglegitis. Et si frugi non sum vel si ea non accipietis, quis vos frugi esse dicet aut quis ea [5] accipiet? Et si vobis ita placuit, ut opera inter vos perversa abscon-

[1] Sive : fieri. — [2] Sive : generoso. — [3] Aut : subducet = tollet. — [4] Vel : tegitis (ⲉⲧⲉⲧⲛϩⲱⲡ)? — [5] Sive : vos *vel* vestra (sicut I. Leipoldt suspicatur).

datis, quia quod dico secuti non estis, si igitur id, quod dico, aufertis — id non dico per me solum, sed *sacrae* litterae etiam magis praecipiunt[1] : «Non abscondes id, non teges id», et rursus[2] : «Non contra dicunt, non celant quicquam» — quis non auferet vestram doctrinam, si per vos solos loquimini?. . . [

71. De vita monachorum. XVIII.

]nos hoc modo poneret (?) et non isto alio modo, quo me vis facere, ut ingratorum, qui in nobis sunt, imprudentiam auferam. Nisi enim quidam e nobis homines ignorarent avem caeli vocem murmurantium et falsa eloquentium in cubiculis suis capere et alitem[3] verba eor[illegible]erre[4], non *una* sederent et clam in me loquerentur; nisi enim propter eum *esset* et si nostri iuris essemus, non
* p. 97. maneremus * . . . . .non manerent. Eos, a quibus dolore affecti sunt, ulti non sunt de sua ipsorum voluntate et non de voluntate Dei. Sin porro me videre quid facturus sim necesse est — ii qui rem pravam et verbum non conveniens, quae ii, qui in te habitant, sciunt, me celant, ipsi tecum conventui inimici sunt.

Quod autem ad eos attinet, qui dicunt : «Nemo eos intra te peccare scit, nisi *tu* eos quaeris», si quaero, scelus et damnatio eorum in meo capite sit. Haec enim praeterierunt. — Fortasse hoc faciam puero, priusquam idoneus est, in quem cadat condemnatio sua, ne sanguis eius in me recidat et quia eos sanctos volo. Cave vero efficias, ut ii, qui sive mares sunt sive feminae clam inter nos mala perpetrant, me exspectent ad se venire. Exspectent ignem gehennae!

Hoc verbum non est fratrum aut filiorum, qui quid sibi acciderit vere dicere volunt, ut ante iudicium puri fiant, sed fratrum et filiorum fallacium, quorum oculos ea, quae fient die iudicii, effugerunt. Animus enim fraudis plenus opera factu funesta cogitare non poterit neque cogitabit, quae Deus opera die irae facturus sit. Non videtis perversam esse hanc actionem? Si minus, cur sapientes animis afflicti sunt? Et alii conqueruntur : «Quis est, qui eos constituerit?» Nolite, o fratres, in via errare meridie. Sufficiat id, quod in ea[5] accidet noctu.

[1] . . . . — [2] . . . . — [3] Ad verbum : eum, cui alae sunt. — [4] Cf. *Eccl.*, x, 20. — [5] Lege ⲛϩⲏⲧⲥ.

His in sedibus perpetuo aliquis et * quem sibi adiunget erit, ut * p. 98.
fructus arborum et quae de palmis decident colligat. Nec puer ad colligendum vel decerpendum statuetur. Puerorum negotium non est ingredi vel egredi more circitoris [1].

Et omnes praesides intra domus suas quieti residebunt; ipsorum enim haec negotia — praeter gravem necessitatem — non sunt. Neque enim constituti sunt, ut negotiis loci ostiarii et horti olitorii fungantur et fructibus arborum *colligendis* et officiis ministerii et huc illuc cursando *distineantur* sollicitudinum ab ipsis alienarum pleni, verum ut cognoscant, quomodo sint cum hominibus sibi commissis. Hoc enim studium ex consiliis mixtis profectum est. Ad opera spiritus constitutus es et in corporis opera te ingeris per inconstantiam animi hominis haud confirmati. Modo enim ministri, modo praesidis partes suscipit, modo haec et illa *agit*.

Nemo quemquam meo nomine vel mea auctoritate me vivo et me etiam mortuo percutiet sive baculo sive etiam alio instrumento sive humi prosternendo, ut eum calcet. Modus *poenae* puerorum notus est. Qui quocumque tempore his in sedibus peccare deprehendentur, inde eicientur. Num utile sit eos, qui his communitatibus praesunt, hoc facere, ipsi videant. Meum non est hoc munus. Dum vivo, quem velim modum videbo. Quid faciam, ab initio et nunc ipsum scio.

Qui his in communitatibus habitabunt, * suam semper potestatem * p. 99.
exercebunt ad eos impense adigendos, ut si aegrotant ad usum omnium hominum exeant, ne quis alteri molestus sit.

Si qui vir vel quae femina in morbum inciderit et ob necessitatem, quae eos invaserit, talis rei indiguerit, ii, qui ipsorum saluti in iis, quae statuta eis sunt, neglegent prospicere aut si illudere invenientur sive dicere : «Plane consumimur» vel «Foetorem eius, quod ei accidit, nequeo ferre», utpote misericordiis, quae factae sunt Dei amore, reprehendentur indigni et ex hac *tam* praeclara occupatione amovebuntur.

Si quando vir vel femina his in sedibus invenientur vultum hominum vel sermonem imitari aut eos deridere, ex poenis et animadversionibus, quae nobis praesto sunt, eis fiet ad ipsorum stultitiam.

His in sedibus exigui terrae spatii, quod iumentorum victus causa obserimus, vectigal semper pendetur nec ulla nobis a talibus hominibus, quales gemitibus incusant multi, gratia impertietur, cum ut

[1] Vel : colligentis (ⲙⲡⲉⲧⲕⲱⲧϥ Crum).

libere eos nullo prorsus impediti pudore reprehendere possimus, tum maxime quia, nisi dona vectigali eorum largiora iis dederis, non vitabis, ne in ipsorum oris ludibrium vertaris. Aut quo pacto ii, qui rapiendo et quae sua non sunt auferendo satiari non solent, omittent dicere : «Probe gratiam habuerunt, bona eorum in domibus nostris locum invenire cessaverunt» et «Nonne locum ea ponendi invenitis?» Ne commutemus pro nonnullis hordei mediis gloriam communitatum Christi atque honorem! Illos ego hominum contemp-
* p. 100. tores novi et vos filios nepotesque * ex eis oriundos noveritis et ipsis attendetis. An *isti*, si paulum afuit, quin multum egenorum sanguinem profunderent, siquidem de sordida sua avaritia mortem eis intulerunt, ut sibi gratis operarentur [1], vosmet spernere verebuntur? Aut universam eorum malitiam ignoratis, cuius in fratrem vestrum expromendae occasionem quaesierunt, quoniam dictitat : «Vos estis improbi, vos egenos vexatis»? Maxime occasionem eius in egenos expromendae quaesiverunt propter fratrem vestrum. Deus utique de consilio suo nefario eos dissipavit.

Homines si maleficis studere vel adiungi invenientur in his communitatibus *et* eos, qui praecepta nobis proposita neglegunt, tueri, ex his communitatibus eicientur; hi enim illis peiores sunt et illi peiores his.

Si quando *qui* homines nostros sciunt, sive mas erit sive femina, per tres dies ac non tres menses, nedum annos inter se esse inimicos, ipsis et *rei* consciis fiet ad idem iudicium, quandoquidem totam communitatem atque ipsorum praesides non monuerunt. Si eos his in sedibus retinere salutare sit, cum res a testibus cunctisque fratribus explorata erit, ipsi dispicient; si minus, e nobis expellentur.

* p. 101. * Si quando homines in his communitatibus invenientur, qui : «Leges, inquient, nobis conditas non asciscemus», sive mas erit sive femina, e nobis expellentur.

Si ii, qui his sedibus praesunt, ad se homines introducent, ut cum ipsis habitent, antequam *hi* ad hanc legem consentiant curaverint, ut eam observare eos velle sciant — si minus, ne utique eos excipiant — erunt iis, qui asciscere eam nolunt, peiores atque *etiam* iis, qui eam transcendunt, peiores neque digni, qui in gradu suo relinquantur. Caeciores enim sunt, duces caecorum [2], praecipitati et in foveam deiecti una cum ipsis.

[1] Lege ⲉⲧⲣⲉⲩⲣϩⲱⲃ. — [2] Matth., xv, 14.

Omnium laborum, quos quoque tempore his in sedibus subibitis, socii erunt earum praesides, cum nemo cervices suas ullo nomine a iugo solvet, [ne]que afflictos inde a sene usque ad infantulum affligi patientur[1]. Eiusmodi etiam sunt, qui sine morbo in vico sunt. Non imperatores solum erimus, verum etiam operatores.

* Omnes homines, qui quocumque tempore ut monachi fiant * p. 102.
venient, pater eorum, qui in his communitatibus habitant, primum ostiario in loco *eius* communitatis, in qua est, explorabit, deinde, cum eos exploraverit, ad se introducet omnia*que* ad leges nostras eis praebebit. Si eveniet, ut ad communitatem septentrionalem eos mittat, illo migrabunt. Sin contra eveniet, ut hac in communitate eos retineat, nonnullos ex ea mittat huc, alios illuc in illam communitatem transferat ob necessitates et ob utilitatem singulorum, ipse omnia provide(bi)t, non ex voluntate quadam humana neque ex odio quodam, sed omnia ad confirmationem et utilitatem iis obventuram.

Qua de causa animo erimus demisso tempore lectionis temporeque precationis vel eo tempore, quo quodpiam iustitiae opus peragimus? Quis enim nos persequitur, nos servitute materiae *corporeae* curisque huius saeculi immunes? Si precationem nostram suo tempore imminuimus et lectionem suo tempore imminuimus et congregationem suo tempore imminuimus sive decurtamus, nos res corporales dicimus rapere, cum eas non rapiamus, * *ipsae* potius * p. 103.
nos ad se rapiant. Quae sunt lectionis, lectioni, et quae sunt precationis, precationi concedite[2] suis temporibus, quoniam nobis necessariae sunt tempore necessitatis. Necessarios *vitae* usus corpori suo tempore concedite, cum nos eis indigere sciamus.

Si ad cibum sumendum pulsa(bi)tur, nemo e nobis morabitur, quin ad edendum eat — bini vel terni incedentes — aut totum sabbatum ieiunabit. Si unus homo est vel duo vel tres, *qui morabuntur*, ianua domus exterior eis non occludetur, quoad fratres, qui in illa domo erunt, exierint aut maior eorum pars aut quinque fere vel decem. Ita etiam si quattuor vel quinque vel his plures sunt, qui ad edendum non venerunt, claudere non convenit, ne quis e porta causam confingat.

[1] Vel : [ne]que afflictos, si inde a sene usque ad infantulum affliguntur, derelinquent. Lege ⲚⲤⲈⲦϢⲔⲀⲚⲦⲀⲖⲀⲒⲠⲰⲢⲞⲤ. — [2] Cf. Matth., xxii, 21 ; Marc., xii, 17 ; Luc., xx, 25 ; *Rom.*, xiii, 7.

Pueri parvuli, qui ad *sufficientem* aetatem nondum pervenerint, *i. e.* nondum sapierint, si aegroti sive morbidi erunt, non soli relinquentur nec mane vel vespere ad contionem prodibunt, sed aliquis apud eos apponetur, sive in domibus, cum dormient, sive in sede hominum aegrotantium erunt. Si vero non aegrotabunt, nocte
* p. 104. diei dominici et sabbatis, cum congregari solemus, simul * ad contionem deducentur; ibi, cum opus erit, quieti se tradent.

Expedit etiam, ut *omnis* harum communitatum semper pater singulis in domibus vespere et mane, cum congregantur *et* precantur, eo tempore, quo ignis diebus brumalibus accenditur, sabbatum degat, ut attendat, quae ubique ratio conducat sive in domibus sive in communitate. Item mater communitatis ipsa quoque hoc modo faciet. Necessarium est autem eodem modo etiam hoc aliud, ut saepe numero ad communitatem septentrionalem se conferant cum habitantium ibi utilitate, quoniam Deus in omnes res inquiret singulosque de operibus suis interrogabit.

Nemo e nobis sive mas sive femina ne iis, qui his communitatibus quocumque tempore praeerunt, quidem exceptis cibum suum vel vestem suam dispertiet aut extra eum locum, quo cibum omnes fratres capient, seorsum solus vescetur.

Nemo e nobis sive mas sive femina ad misericordiam pronus *et* Dei metuens de hominibus, qui ex his communitatibus aufugerint vel expulsi erunt, quoad vivam, animo contristetur. Neve paenitentia
* p. 105. eorum vos subeat aut miseratio, * etiamsi viri *natu* grandes vel feminae grandes sint aut pueri vel puellae. Iesus enim eos persequitur. Intraverunt *illi* quidem ad nos palam per coenobiorum nostrorum portas, redierunt vero per communitatum nostrarum muros. Quo insciente ad nos intraverunt? At qua ratione a nobis aufugerunt? Aufugerunt latronum instar et instar desertorum. Ante enim quam nobiscum usu et consuetudine coniuncti essent, non timebamus, ne nostram furtim vestem auferrent; nunc vero nobis providebimus, ne librum nostrum auferant ceteraque ministerii utensilia communitatis Christi.

Si qui viri inter nos invenientur vel quae femina(e) commurmurantes vocesque ex animo suo perverso effutientes nolle se leges nostras agnoscere, cum hanc proferent impietatem : «Quantas ego res ingressus *mecum* attuli!» et «Quid et quantum huc contuli!», homines vocabuntur ad nihil utiles, quoniam ea, de quibus loquimini, neque vobis dabuntur neque etiam a Deo accipietis. Similis enim Ananiae iste est et Sapphirae uxoris eius et Caini. Ille quidem ea recte attulit, non autem recte dispertiit. Isti quoque ea recte attulerunt et cum animi gaudio tradiderunt, desciverunt vero sua reprehendendi libidine. Si admone(bu)ntur nec linguam suam a pessimo sana(bu)nt, inde expellentur.

Homines, qui apud se pueros tenent sibi commissos neque sibi curae habent, quia dissoluti sunt resque cum eis iidem agunt ludicras atque cum eis * iocantur, ex hoc munere amovebuntur; neque enim (* p. 106.) in eos fideles sunt. Eodem modo *consuletur* in feminas, quibus traditae sunt puellae. Si vero pueri sunt, qui adoleverint legique satisfecerint, secundum ea, quae nobis scripta sunt, tractabuntur. Si non oboedient nec sapere discent, e nobis eicientur.

Si quando inter nos homo vel femina invenietur operari, antequam mane primum ad precandum pulsatum erit, non iussi ab harum sedum patre aut etiam nulla ipsius anus, quae est in vico, auctoritate, poenam instar eius, qui pessime fecit, solvent, maxime ultro et citro temere cursantes, cum recitare nolint [1].

Si quando vir vel femina inter nos invenietur, qui rem e sua parte demptam filiis suis vel filiabus naturalibus aut fratribus vel sororibus tradat aut contra patri *res* a filio suo vel matri a filia sua aut generatione naturali sibi iunctis vel ab aliis denique viris vel feminis *tradatur* [2], ex his sedibus eicientur.

In his communitatibus homines natu grandes, qui ad portam conventus vicum incolentium versantur, omnes res, quae eis opus sunt, semper ex hace sede accipient sive panem sive olus atque etiam id, quod coquere solent, sive vas [3] escarium (?) atque vestem suam vel stragulum. * Hic eis praebebuntur et hic eis lavabuntur. Et (* p. 107.) plane pariter fratribus hoc loco *fiet* omnibus. Neque quisquam nostrum quemquam ulla re, ne minima quidem, ab eis distinguet.

Quid est mari cum femina? Aut [4] quid sunt feminae inter nos maribus, ut eis operam navent? Etenim alii ab initio in his sedibus mortui sunt, non mares quidam solum, verum etiam feminae quaedam ob eiusmodi opera. Ne igitur orationem faciam multam : Qui illo in loco hoc praeceptum rumpet, cum femina rursus hanc rem facere sive aegrotum aliquem invisere perget *aut* constituti ibi *praefecti* aliquid ab eis accipient aut etiam harum sedum semper

[1] Cf. 64 in extrema oratione. — [2] Ἀνακολουθία! — [3] Sive : rem cibariam (?).
[4] Lege Ⲏ loco ⲉ.

praesides hoc praeceptum et hoc mandatum audebunt transcendere, exsecrati erunt *et* Deo et osoribus earum impietatum, quae offensionibus eorum, qui diligentiam non adhibent dignam eo, cui animus noster copulatur, solent committi; tantum enim abest, ut nihil ad nos attineat, ut contra nobis opus sit : dico castitatem. An non ad victum nostrum consentaneum est mares servire maribus et feminas feminis?

In his communitatibus si necessitas obvenerit, ut homines, qui in ostiario communitatis vicanae loco constituti sunt, cum iis, quae illo loco versantur, colloquantur vel ut, quae illo loco versantur, illae quidem nuntium aliquem vel rem quampiam nobis mittant, hi numquam soli cum ostiaria loquentur neque illa vicissim cum iis loquetur ne minimam quidem rem, etiamsi filia alicuius ex ipsis sit
* p. 108. vel soror eius vel mater vel alia denique quaepiam * *sive* necessitudine ipsis coniuncta sive ipsis non coniuncta. Sed si necessitas quaedam obvenerit, ipsa congregationis anus, mater istum locum incolentium, una cum aliis duabus feminis natu maioribus prodibunt negotiumque sive rem, cuius indige(bu)nt, eis enuntiabunt, ut nobis eam transmittant, et ipsae vicissim iunctim ibi simul mane(bu)nt.

Nemo ex eis ullam poterit convenire feminam, nisi ibi una erunt sive quae ibi congregatae erunt sive quae ad vos foris venerint.

Vir vel femina si hoc mandatum inter nos invenientur despicere, exsecrati erunt ei, qui in unum nos coegit, Iesu, et eis, qui his sedibus quocumque tempore iuste praepositi erunt, exsecrati.

Saepenumero iam diximus et scripsimus, ut mater sive matres vicanarum omnes, quibus indigerent, res nobis huc perscriberent. Ac nos quidem omnes, quibus hic indigebimus, res vobis scribemus. Neque praeter magnam necessitatem quae apud vos loco ostiario erunt vobiscum *i. e. monachis* loquentur neque vos cum eis *i. e. monachabus* colloquemini. Scriptio enim est nobis ac vobis ipsis propugnaculum *quoddam* maiorque conventus nostri utilitas. Nolite perire e desideriis van[is

(*desunt paginae duae*)

Si quis usus obvenerit, ut alicuius negotii causa eant, a modo *agendi*, quem sequi solent fratres, nihil recedent. Multi enim has huiusmodi rationes sibi existimant esse honorificas, cum contra sint turpissimae.

In his communitatibus semper quidam uno ex omnibus ministeriis,
* p. 109. quae in * altari convenit peragere, quavis hebdomade fungentur. [Ne]*que* [tamen] diaconi soli, verum [etiam] presbyte[ri hunc in]

modum facient, quoniam [ipsi[1] quoque] fratres sunt et.[.....] cum maribus, priusquam ad hunc vic[tum singu]larem[2] convenimus. Sed si qui sunt ex eis, qui his semper sedibus praesunt, sive presbyteri sive diaconi, ad eos praeceptum hoc non spectat. Aegre enim quae eis *imposita* sunt onera sustinent. Sin autem otientur, honeste quidem hoc facient; sive igitur id fecerint sive non fecerint, — modo ipsi omnium rerum reddent rationem.

Quid est enim, quod in eis, quae nobis opus sunt, non statuerimus sive condiderimus?

Sed omnes huiusmodi res in his communitatibus fratres omni tempore facient in unum conducti. Viginti erunt vel triginta vel quadraginta et his plures aut etiam universi, si in locum, quo opera(bu)ntur, congregati erunt. Priusquam opus faciant, semel precabuntur. Et rursus si in eo erit, ut *operandi* finem faciant, semel precabuntur. Hac ratione singulis diebus fiet, sive iuncos desecabunt sive folia palmaria evellent vel receptaculum ad iuncos permacerandos destinatum implebunt, et id *i.e. pensum precum* contexent cum ceteris operibus horum similibus. Et preces porro, quas in domibus sive hieme sive aestate negotiis vacui facere solent, etiam aliquam alicubi rem agentes fundent. Neque unquam in his communitatibus * preces * p. 110.
suas amputabunt[3] sive animi eas incolentium dispositi erunt sive dispositi non erunt.

Qui *vero* diligentiam in haec mandata exsequenda non adhibebit, maxime *qui* praepositi *sunt,* eos Iesus interrogabit, quoniam *et* digni et indigni Christo eiusque sanctis legibus omnibus in rebus debebunt obsequi, licet gratiam non ineant.

In his communitatibus omnes res, quas facient — sacellum parvum exstruendum non excipietur aut etiam alia res his[4] similis — extra operam suam manualem, quam domi suae facere solent, semper perficient, cum horae diei sextae tempore cessabunt; suo enim loco sunt. Neque dicent: « Operandi causa meridie vel bis cibo vescemur ». Sufficit is modus, quem obliti sumus, quoad haec templa sive aedem Christi aedificaverunt. Dum autem vivam, *ego* ad aedificandum vel non aedificandum aut ad vescendum vel non vescendum aut ad finem tempore faciendum vel finem postea faciendum attendam. Qui autem nobis succedent, iis quos tamquam fratres statui et tamquam

[1] Lege ϫⲉⲛⲧⲟⲟⲩ. — [2] Vel : in hoc idem monasterium. — [3] Vel : imminuent. — [4] Vel : huic (ⲉⲡⲁⲓ)?

filios non exceptis, eos, inquam equidem, Iesus interrogabit. Tantummodo e nobis nulli unquam dicent : « Operandi causa vescemur » aut etiam opera imminuent non operando vescendi causa. Et tempus ob huiusmodi opera finem faciendi, si quidem aestas erit, tempus horae sextae erit vel horae quintae — si foris aestus erit, nemo meridie vescetur, verum in domibus suis otiabuntur et si
* p. 111. tempore interiecto quieverint sive respiraverint, * rebus quoque suis minutis domi suae prospicient — sin autem hiems erit, vix tempus interpositum operando impendent finemque facient.

Et eodem modo erit eo tempore, quo evellent..... parvum (?). Si locus monasterio propinquus erit, iisdem horis desinent et redibunt; sin autem locus ab eis [1] remotus erit, sicut facient aestate, cum iuncos desecabunt vel folia palmaria evellent, item facient, ut, sive capulam aquae biberint sive etiam paulum comederint, desistere festinent et ad sedes ~~suas~~ redeant.

Omnis huiusmodi res, si quidem hiems erit, [

72. De vita monachorum. XIX.

] aut etiam quotienscumque inter se invenient. Et si Dominus hanc iustitiam, hanc utique quae est in aedibus ostiariis, volet permanere, singulis sabbatis inter se convenient et loquentur cum hominibus, qui venerint, et... [...e]t in [......]..[....]. [

(*desunt circiter 220 litterae*)

]qui vobiscum constituti sunt, et omnes res, quae eorum sunt, apud eos collectae erunt. Audite me dixisse : « apud eos collectae » ! Non dixi : « eorum erunt sive in eorum potestate ». Turpe est enim id dicere maiusque nefas est iis, qui id facient; sed Iesu propriae sunt, omnes — ne uno quidem nummulo excepto — societatis vinculo coniunctae. Ita erunt [....] ......[....]..[...[..[......]...[

(*desunt circiter 120 litterae*)

112. * surripere aes vel aurum vel aliam denique aliquam rem, maxime capita harum communitatum sive mares sive feminae.

Quando occasionem ex his sedibus exeundi circumspiciunt aut etiamsi in eis permanent, res, quales sunt, auferre sive surripere

[1] Vel : eo (uuoc)?

possunt sibique cognat[io]ne coniunctis aliisve hominibus tradunt, et ipsa quoque mater vicanarum ve[stra] ex parte [

(*desunt circiter 130 litterae*)

]vel loqui cum eis.

Qui his sedibus praesunt, nihil unquam facient sine *consilio* eorum, qui eis attributi erunt, neque ii ipsi rursus sine eis rem agent. Nec quisquam omnino e nobis aget sine *consilio* domui suae praepositorum et suorum [......]e[t...

73. De vita monachorum. XX.

]rursus ea (?) auferent. Ei autem, quos non dixi, alios propter ea (?) vexant; res, in quibus profectus non est, sunt omnes res praeter dispositionem *factae* apud eos, qui vim sciunt oboedientiae, sicut ego cognovi. Hoc pacto numquam ex ore meo prodiit. Quod nunc dicam, hoc est : « Unum est in homine caput, cui totum corpus et membra obsequuntur. Turpis enim res atque ridicula est caput corpusque pedem sive pedes sequi, quandoquidem a natura nostra alienum est humi nos reptare corpus pone * trahentes. [Ut] nunc * p. 113. ipsum potestas nobis est naturae nostrae convenienter prorsus incedendi, quatenus corpus expers est clauditatis neque caligine quadam caput obductum est, ita *recte* est. » Ante hunc enim diem dicebam : « Nemo rem geret sine *consilio* senis ». Ille quid dicam intellegit. Qui minora tuetur et fideliter curat [1], ei maiora solent tradere atque concredere.

Homo quidam, qui caesariem capitis sui numquam sine me, prius quam me consuluisset, totondit — quae tandem res est, qua mihi non obsequatur ? An omnes, qui has sedes incolunt, rationem illius hominis nesciunt atque patientiam toto hoc tempore immutabilem atque immobilem ? Ille quid dicam intellegit.

Nunc vero ita dico : « Quos iudicavimus et diiudicavimus, ut his sedibus eos praeficeremus, ii non poterunt quicquam sine me facere neque quicquam ab iis, qui ministrant, accipere comedendum, nisi ego iis id dedero. Nihil praeter suam partem capient neque stragulum vel vestimentum suum permutabunt vel ullam rem, quam sibi retineant [2] praeter legem. »

[1] Cf. Luc., xvi, 10. — [2] Sive : vel ullam rem sibi retinebunt (?).

Non semel dixi : « Si moriar, omnia quae volueritis facite ! *Ipsi* vide(bi)tis; rationem enim reddetis Deo ! »

Rem, si quam vobis ad comedendum do vel ad bibendum praeter massas nobis statutas, beneficii loco pono et : « Laudate ! » inquam, cum ad me in eam sedem, ubi sum, venitis, aut etiam : « Laudate ! » cum ad vos intravi ad beneficium vobis vel solacium quoddam prae-
* p. 114. bendum. Haec dixi, ne forte quando veniatis neve harum sedum * praefecti, nedum domorum praesides [1], inter nos sive mares sive feminae hoc scelus rursus edant i. e. ut aliquid ei, qui id desiderat, edere aut bibere dent hoc quoque meditantes nos id facere atque etiam vos id facere mea causa, si...[

74. De vita monachorum. XXI.

] in solitudine in domo patris mei, ut multitudinem delictorum meorum doleam. Et hoc in animo habeo : etiamsi, quoniam homo sum peccator [2], dignus non evadam, qui eo in loco, ad quem migrabo, Dominum aperte aspiciam praesentem — attamen contendam, ut secreto in terris per eum satier, quatenus neminem impedit neque me neque ullum hominem, quem paenitet vel paenitebit. Et si ad eum migr(ab)o, pro misericordiis suis prospici(e)t, ut miseriae meae misereatur.

Ceterum hac ratione domi meae soleo precari Domino peccata mea confitens. Flens [3] dico : « Utinam dignus evadam, qui eo loco, ad quem migrabo, eum intuear et utinam igni me castiget ! »

Sed confido fore, ut ob preces vestras, fratres, mei misereatur, existimoque, qui ut in terris precationibus et ieiuniis et vigiliis nocturnis et laudibus et meditationibus (?) frequentibus omnisque obsequii studiis et humilitate oboedientiae omnis et generositate ceterisque operibus per eum satientur contendunt, iidem fore ut per
* p. 115. ipsum eo loco, * in quem migrabunt, satientur eumque ipsi illic intueantur praesentem praesentes.

Qui vero perpetuo male parentes sunt, Dei osores, superbientes, vaniloqui, indociles, immites, contumaces, atroces, ingrati, maculati et polluti sua conscientia, quae rixa ipsis et odio et simultate et irrisionibus et irritationibus verbi Dei et murmurationibus et accusationibus et iactationibus et scortationibus ceterisque, quae multa

[1] Sive : nedum domestici. — [2] Cf. Luc., v, 8. — [3] *Phil.*, iii, 18.

sunt, omnibus atque omni re mala combusta est, hi ceterique horum similes numquam digni erunt, qui cum in terris sunt per fidem a Domino saturentur, multo autem minus qui in caelis eum eo in loco, ad quem migrabunt, praesentes intueantur praesentem. Et hos profecto huiusmodi *homines* igni comburet inexstincto [1].

Haec dixi vobis, ut vos docerem voluisse me in domo mea manere paenitentiam agentem omnibus diebus vitae meae.

[N]unc vero contra dico vobis velle me inter fratres meos, filios Dei et filios parentum meorum, remanere, ut utilitatem alius ex alio percipiamus; hoc enim probatur Deo et hoc probatur parentibus meis magis quam centum anni a me in solitudine acti. Et hoc pacto omnia, quae in me irruent, volo sustinere, velut si nihil faciam.

Senex universique grandaevi omnibus in rebus laborant et fratribus, qui laborem suscipiunt nobiscum, gratias agimus, qui quidem nobis omnibus in rebus, quas copia est eis faciendi, dicto sunt audientes et qui animi tranquillitatem * omni obsequio nobis (* p. 116.) afferunt cum metu et tremore suam salutem operantes [2]. Omnes eos qui sint novimus inde a minimo ipsorum usque ad maximum. Quapropter Deus fortunabit eos et custodiet ab omni re mala omnique pace pacabit in caelis, eo in loco, in quem migrabunt.

Qui vero omni in re male sunt parentes *et* qui verbum Domini contumacia sua et sui ipsorum fiducia irritant, eos qui sint novimus. Quapropter Dominus eis condonabit, quoniam fratres nostri sunt *corporis*que nostri *quasi* membra et quoniam ipsi quoque laborant pro ignorantia sua et quoniam nos de iis ipsi dolemus, propterea quod nobis ad tranquillitatem nostram humanam non servierunt.

Gratiam reddimus iis, qui vesperi nobis scyphum aquae aut etiam aliud quid pro sua caritate porrigunt. Ac Dominus eis pro bonis suis operibus remunerabitur.

Neque porro dolemus, quod vocem quamdam nobis coram ingesserunt isti; *id* enim meruimus. Propterea, quod si voces coram nobis in os aut clam sine arbitris ingerunt temere murmurantes vel criminantes, *isti,* quales sunt, nos non attingunt. Utinam Dominus nobis etiam id concedat, ut maxillam ei, qui nobis eam percusserit, praebeamus [3] atque adeo, si eveniat, ut nos propter nomen Dei nostri occidant, volentes dicamus [4] : « Domine, ne statuas iis hoc peccatum ».

[1] Cf. Matth., iii, 12. — [2] *Phil.,* ii, 12. — [3] Matth., v, 39; Luc., vi, 29. — *Act.,* vii, 59.

Sed animo dolemus atque maeremus die et nocte de iis, qui non
p. 117. oboediunt evangelio * Domini nostri Iesu, qui quidem : «Nisi, inquit[1], conversi fueritis et efficiamini sicut hi parvuli, non intrabitis in regnum caelorum». Videte nunc, quam manifesto apparuerit animus indocilis eorum e nobis, qui sibi solis sapiunt, sive mares sive feminae sive grandes sive parvi *aetate*.

Haec autem, fratres, dico, ne quem nostrum *sive* inter nos sive inter vos taedeat tolerare socios. Dominus enim vobis mercedem vestram dabit. Proinde ne animis dolueritis, si vos deriserint sive illuserint vos dixerintque verba mala adversum vos[2].

Haud mirum est, si colaphos vobis isti in os impingunt vel si inspuunt in faciem vestram vel si pugnis caput vestrum caedunt more angeli satanae[3], quemadmodum scriptum est[4] : «Esurimus, sitimus, nudi sumus, colaphis caedimur, perturbamur, affligimur; si persequuntur nos, sustinemus eos, si nos exsecrantur, amice eos alloquimur».

At permirum tamen illud est, quod nulla re prava, quemadmodum scriptum est[5], a vobis offenduntur.

Haec cum vobis diceremus, pudorem vobis non iniciebamus; sed vos ut fratres carissimos monemus[6], ne nos cum saeculo condemnemur utque *illud* prophetae effugiamus effatum[7] : «Ecce ego adducam mala super populum istum et super fructum contumaciae eorum, quoniam verbum meum non attenderunt *ac* legem meam dereliquerunt».

p. 118. Itaque a vobis, fratres, quaeso, ut abstineatis * vos ab omnibus litibus omnibusque contentionibus omnique re prava atque a carnalibus desideriis, quae quidem militant adversus animam[8] vestram, *utque* praeputium circumcidamus[9] animi nostri obdurati *eo consilio*, ut Dominus in omni re bona promoveat vos, ut voluntati eius obtemperetis quod in nobis ei placet exsequentes[10]. Haec enim est voluntas Dei, sanctificatio vestra[11], ut sancti ei simus et inter nos diligamus, quemadmodum nobis praecepit secundum litteras *divinas*[12].

Quid est circumcisio animi sive quid est praeputium ?

[1] MATTH., XVIII, 3. — [2] MATTH., V, 11. — [3] II *Cor.*, XII, 7. — [4] I *Cor.*, IV, 11 et sq. — [5] ... — [6] I *Cor.*, IV, 14. — [7] IER., VI, 19. — [8] I PETR., II, 11. — [9] Cf. *Deut.*, X, 16; IER., IV, 4. — [10] Lege ⲉⲧⲉⲧⲛⲉⲓⲣⲉ (Leipoldt). — [11] I *Thess.*, IV, 3. — [12] Cf. *Lev.*, XIX, 18; IOH., XIII, 34; XV, 17; *Rom.*, XII, 10; XIII, 8; *Gal.*, V, 13; *Hebr.*, XIII, 1; I PETR., II, 17; IV, 8; II PETR., I, 7; I IOH., III, 11, 18; IV, 7.

Qui omni tempore sunt in ferociis et pertinaciis et impudentiis et pervicaciis et contumaciis et animi atrocitatibus et contentionibus et litibus et invidiis et odiis et impuritatibus omnibusque rebus pravis, ii animis et auribus[1] quoque incircumcisi sunt secundum *sacras* litteras[1].

Qui vero omni tempore sunt in humilitate et mansuetudine et patientia et caritate et docilitate cum omni obsequio omnique oboedientia omnique honestate, [ii sunt circumcisi.

(*desunt paginae duae*)

Exsecratus est(o) inter nos mas vel femina, qui aquam fundent super capita, ut *moti* libidine quadam facies lavent, ut memoriam capilli capitis repetant iactantiae causa et cupidinis voluptariae !

Exsecratus est(o) inter nos mas vel femina, qui *moti* libidine quadam pedes prave abluent vel aqua furtim lavabuntur vel oleo clam * se unguent inconsulto ante apud nos sene vel apud vos anu. * p. 119.

Exsecratus est(o) inter nos mas vel femina, qui ad vestimentum vel ad amiculum vel ad stragulum vel ad cucullum vel ad soleam animum applicabunt, ut pulchre ea sibi instruant, cum : « Nostra sunt, inquiunt, neque ulla eis simul exstitit aequalitas inde a magno quoquam usque ad parvum ».

Exsecratus est(o) inter nos mas vel femina, qui rationem naturali origine sibi coniunctorum habebunt, ut peregrinis eos ac pupillis apud nos anteponant sive cibo sive vestitu sive alia aliqua supellectile[2] sive aliqua re alia.

Exsecratus est(o) inter nos mas vel femina, qui praeter legem nobis sanctam aliquid furtim manducabit sive piscem sale conditum sive piscem coctum sive rem sale[3] induratam vel ovum vel caseum vel butyrum (?) vel lac sive aliquam rem aliam praeter legem.

Proinde nemo nostrum *vel* apud nos vel apud vosmet fiat *cupiditatum* servus de his *rebus quicquam* omnino tangendo vel gustando neve ea prorsus cogitemus neve ea concupiscamus, ut ea nobis reservemus, sicut parentes nostri sibi ab his caverunt. Ipsi perpetuo graviter laboraverunt maximasque molestias susceperunt, sed nostra causa, ne moreremur. Non attigerunt neque gustaverunt de his omnino.

(*desunt paginae quattuor*)

[1] Cf. *Act.*, VII, 51. — [2] Sive : alio aliquo instrumento *vel* cibo. — [3] Sive : fumo.

p. 120.]* inquinabuntur aliquem ad modum sive foris sunt sive in communitate.

In omnes igitur nostros, qui apud nos vel apud vosmet in occulto peccant sive peccabunt neque peccatum, quod commiserint indicabunt, hae imprecationes ingruent universae.

Porro autem qui sacrificium alio in loco territorii nostri controversiam intendentes offere(n)t, si nobis sodales sunt aut etiam si apud nos habitant nec *tamen* sodales nobis sunt et qui sacrificium alio in loco territorii nostri controversiam intendentes offere(n)t[1], nisi intra communitates nostras *est,* quem in locum cuncti fratres congregati sunt, et in sede patris nostri, quo in loco aedes solitudinis est, ii erunt exsecrati[2]. Territorium autem nostrum inde a valle, quae ab aquilone vici Triphiu[3] est, in septentriones porrigitur ad eam vallem, quae a meridie est domus patris nostri senis apa Pschoi, quo loco primum fuit in solitudine.

Quicumque autem apud nos consident, omnes iis legibus, quae cunctis fratribus in unum congregatis sanctae sunt, astricti erunt.

Quotannis quattuor sabbatis, quae quidem nobis statuit pater noster, omnes qui in locis territorii nostri desertis versantur, ipsi quoque nisi aegrotabunt cum fratribus congregabuntur, ut in unum conveniant. Quicumque autem in regione deserta habitabit, si ad praecepta, quae parentes nostri nobis sanxerunt, vivere nolet, eum
* p. 121 ex communitatibus nostris, * si in eis versabitur, eiciemus, sive mas erit sive femina. Et si in locis territorii nostri desertis erit, congregati ad eum locum, ubi erit, transibimus eumque a nobis abigemus. Sin autem contentionem adversum nos excitabit, sedem, in qua habitabat, funditus evertemus ac per vim eum inde expellemus. At cavebimus, ne eum caedamus, casus mortis *vitandi* causa. Et sedem eius, in qua habitabat, demoliemur atque e fundamentis disiciemus, ut nemo unquam ibi habitet, qui sodali suo offensioni sit.

Praeterea autem qui unquam e nobis inconsulto sene discesserint nullaque auctoritate ad episcopos quospiam se contulerint, ut manus ipsis litigantes tendant, erunt exsecrati, propterea quod oboedientia potior est quam illorum oblatio sacrificiorum[4] contumaci cum animo et indocili.

Quicumque vero ad leges, quae nobis sanctae sunt, vivet, ab eo

[1] «et qui... offere(n)t», dittographia videtur repetitum esse. — [2] Interpretatio totius comprehensionis, cum verba scriptoris depravata esse videantur, satis dubia est. — [3] i. e. Atribis (?). — [4] Cf. I *Reg.*, xv, 22.

nullus poterit homo animo esse alieno, ut eum submoveat, sive in desertis territorii nostri locis sive nobiscum in communitate versabitur sive apud nos vel apud vosmet *ipsas.*

Sin autem tempestas quaedam veniet et peccatum inter huius loci habitatores ista tempestate ingravescet propter obcaecationem animi, quae omnes, qui hisce in locis desertis, in quibus nunc sumus, praecepta sibi sancta transcendunt, occupabit, [[1]] ista tempestate qui in regionem desertam, ut salvus fiat, aliquo volet secedere, cunctis his exsecrationibus immunis erit, ut hoce in monte habitet, sacrificium autem etiam eo, * quo libebit, loco offerat cum Dei * p. 122. timore, cavens *tamen* ne hostiam usquam alibi offerat nisi eo loco, quem sibi secundum *sacras* litteras elegit Dominus Deus.

Porro autem qui sive mares sive feminae ad nos accedent, ut nobiscum habitent sive qui in desertis territorii nostri locis degent, omnes *denique* qui sunt nobiscum sodales apud nos vel apud vosmet *ipsas* nec ab omnibus rebus, quae eis sunt sive aurum sive argentum sive aes sive vestis sive aliqua res *alia,* se abdicabunt, exsecrati erunt, quoniam crucem suam non sustulerunt, ut Dominum sequerentur[2].

Porro autem quem alicuius rei ex eis, quae ut vinculis communitatis Dei et ministerii egenorum astringerentur dimissae sunt, paenitebit, ita ut revertatur et deficiat atque occasionem eas recuperandi quaerat, iste exsecratus erit, cum instar Ananiae uxorisque eius Sapphirae facti sint et instar Caini ceterorumque, a quibus Dominus abhorruit inde ab initio usque adhuc.

Iam vero qui clam sene et fratribus rem abalienabit, in conspectu Dei erit exsecratus.

Porro autem qui oleum vel aes vel vestimentum vel aliquam rem aliam furtim auferet externisque naturali cognatione sibi coniunctis vel aliis quibuspiam foris hominibus tradet, erit exsecratus in conspectu Dei.

Ii quoque, qui e nobis per fraudem * apud nos vel apud vosmet * p. 123. *ipsas* sodali suo clam aliquid sive edulium sive vestimentum sive linum sive lorum sive aliam denique aliquam rem clam dabunt nec ante seni apud nos significaverint vel anui apud vos ante significaverint, erunt exsecrati, quia extra ea praescripta egressi erunt, quae parentes nostri nobis tradiderunt, *quibus* quilibet sive mas sive femina ullam sodali vetatur per fraudem clam dare rem, nisi manda-

[1] «et», quod delendum videtur. — [2] MATTH., x, 38; XVI, 24; MARC., x, 21.

tum apud nos acceperit a sene vel apud vos ab anu, quae vobis ipsis statuta est.

Praeterea autem qui se tondebit vel aliquem in nobis tondebit sive mas sive femina [1] nullo mandatu, erit exsecratus, quia praecepta, quae nostri nobis tradiderunt parentes, migraverunt.

Iam vero qui e nobis sive mas sive femina sine necessitate spinam ex hominis pede nullo mandatu extraxeri(n)t, erunt exsecrati, quoniam despexerint ea praescripta, quae nostri nobis tradiderunt parentes. Necessitas autem adest, si peregrinamur vel in via incedimus longinqui a communitate aut etiam *si* in communitate sumus et spina pedem alicuius vel manum configit, et propter tormentum cruciatus is, qui ei proximus est, eam cum Dei metu ei extrahet. Ita fiet ei, qui peregrinatur quique per viam incedit cum socio [suo vel] alio aliquo [fratre], ut qui ei proximus est eam extrahat ei cum timore et tremore multo.

* p. 124. * Qui cogitationes animo suo ingeret impudicas vel qui libidinem incestam in spiritu suo fovebit, cum tondebitur vel ipse socium tondebit aut cum spina e pede eius extrahetur vel ipse spinam e socii pedibus extrahet, erit exsecratus, sive mas est sive femina.

Iam vero qui in storea cu[bab]unt bini vel prorsus propinqui *inter se* cubabunt, ita ut omnino inter se tangant sive offendant cum affectu libidinoso, erunt exsecrati, sive mas est sive femina.

Praeterea autem qui prope a sodali sedentes cupidinem incestam in animo *esse* patientur, erunt exsecrati, sive mas est sive femina.

Iam vero qui de cubilibus suis surgent et ad sociorum cubilia accedent, ut socios quiescentes cum affectu libidinoso contrectent inscios aut etiam conscios, cum alius alium inter se ferant loquentes cum [

75. De vita monachorum. XXII.

si quis] in lagenam sive in urceum vel in aliud quod his simile vas minget a sene non iussus, praeter solum hominum aegrotantium locum [2] et senum, cum multos vixerunt annos, et ceterorum, ut (?) senem consulant. Et si quae necessitas obvenerit, ut quidam e nobis
* p. 125. huiusmodi rem usurpent, ut alvum in aliquod * eiusmodi [3] vas

[1] Vel : sive marem sive feminam. — [2] Vel : praeter hominum graviter aegrotantium locum, vel : praeter solorum hominum aegrotantium locum. — [3] Lege ⲚⲦⲈⲒϢⲒⲚⲈ (Leipoldt).

exonerent necessitate alicuius plagae sive sauciationis premente, quae cuiuspiam cruri inflicta est, ita ut gradiendi ad exeundum foras ei desit facultas, senem consulent. Et his exceptis pueri vel alii qui homines, si in aliquod eiusmodi vas alvum exonerabunt, exsecrati erunt.

Exsecratus est(o) is, qui rem aliquam flagitiosam socio suo calumniando affinget, licet non certo sciat, sed odio adductus, cum quod factum non est affirma(bi)t, sive mas erit sive femina.

Exsecratus est(o), qui cum temeritate dicit : « In somnis vidi hunc et illum in re quadam prava luxuriari (?) », sive mas est sive femina.

Exsecrati sunt(o) omnes, qui in universis Domini communitatibus scelera committunt, ita ut Deus magnae *hominum* multitudini succenseat iraque de impietate eorum, qui in nobis occulte vel aperte nequitiam admittunt, incensus vultum ab eis avertat.

Ac vae eis, per quos Deus offendetur et a quibus recedendi quaeret occasionem iusti cuiusdam hominis more, qui occasionem populi ob opera ipsorum turpia derelinquendi quaesivit ad prophetae [1] dictum : « Quis dabit mihi in solitudine deversorium remotum, ut derelinquam populum istum et recedam ab eis? »

* O felices autem omnes, quibus Deus penitus delectabitur, ita ut * p. 126.
inter ipsos versari velit hominis more iusti, qui in hominibus fidelibus delectatus est perpetuoque inter ipsos versari voluit, propterea quod ipse quoque Dominus continenter inter ipsos est ob opera eorum vera ac iusta.

Quicumque vero nostrum rem viderint turpem : impudicitiam vel furtum vel aliud quod peccatum, quod exitio est, neque ipsi me docuerint, quis sit *ille maleficus* vel quae sint istae res pravae, in eos cunctae hac exsecrationes a Deo ingruent, sive mas erit sive femina.

Alii autem omnes, quos in hanc epistulam referre convenit nec *tamen* rettulimus, en ecce universi in chartas ab initio scriptas relati sunt [2].

Dicta autem sacra Domini nostri Iesu, quae in *divinis* litteris et in epistula hac scripta sunt, cuius *rei* sint assimilia, vos docebo. Assimilia sunt lucernarum in caliginosis locis accensarum [3] et lucis diurnae assimilia sunt.

Atque insipientes, qui stultitiis sane quam abundant, similes sunt

[1] Ier., ix, 2. — [2] Vel : Alia... omnia, quae... universa... relata.. — [3] II Petr., i, 19.

vespertilionibus [1]. Et sicut νυκτερίδες i. e. vespertiliones, quando flammeum lucernarum lumen conspexerunt lucemque diurnam, humi decidunt aut in tenebras aufugiunt vel in speluncas, ita etiam insipientes et stultitiis sane quam abundantes humi aut in cupidines ac desideria sua et in tenebras scientiae suae fallacis decident in luce
* p. 127. omnium Domini nostri dictorum non modo sive * ex *sacris* litteris sive ex hac epistula sumptorum, verum *etiam* in luce aliorum omnium, quae in has chartas ab initio scriptas relata sunt.

Rursus autem sacra Domini nostri Iesu dicta etiam lumini lucernarum, quae sunt in manibus hominis sapientis, assimilia sunt [2]. Lucent *enim* ei tenebricosis in locis opera sua facienti, quem ad modum scriptum est [3] : «Lucerna pedibus meis est verbum tuum». Et luci diurnae assimilia sunt, et qui animum ad ea intendet, is non offendet secundum *divinas* litteras [4] : «Qui ambulat in die, non offendit».

O felices ergo alumnos lucis i. e. eos, qui libertate omnis obsequii utuntur omnisque oboedentiae omnisque rei bonae !

Vae autem alumnis tenebrarum i. e. iis, qui animum omnino contumacem prae se ferunt ingeniumque prorsus indocile! Capessunt se in *tenebras* vel subter tenebras omnis rei pravae ritu vespertilionum, qui in loca tenebricosa vel subter *ea* se recipiunt profundissima.

Quid est, cur Dominus Deus oribus sanctorum suorum dixerit [5] : «Si esurierit inimicus tuus, ciba eum, et si sitierit, da ei bibere»? Quapropter autem dixit [6] : «Si frater tuus te non audierit, sit tibi sicut ethnicus et telonarius» ?

Cum autem dicit : «Facite omne bonum inimicis vestris [7] secundum mandatum», hominem Dei bonum vult bonitatem quandam perficere per malitiam mali hominis, qui refertur ad peccatorem, satanam, quoniam pro malitia mali hominis bonitas boni hominis aufert malitiam hominis inimici. Homo cum pro malo reddit bonum,
* p. 128. divinitatem Dei * perficit. Homo autem cum pro bono reddit malum, perficit impietatem impii, diaboli.

Cum autem dicit [8] : «Si frater tuus te non audierit, sit tibi inimicus instar eius, quem numquam vidisti», primum quidem Dominus vult, ut eum a nobis abscindamus, posteaquam eum corri-

[1] νυκτερίς. — [2] Cf. Matth., xxv, 1 et sq.; Luc., xii, 35 et sq. — [3] *Ps.* cxviii, 105. — [4] Ioh., xi, 9. — [5] *Prov.*, xxv, 21. — [6] Matth., xviii, 16 et sq. — [7] Matth., v, 44; Luc., vi, 27, 35. — [8] Matth., xviii, 16.

puerimus, quandoquidem forsitan eum paeniteat, postquam licet frater noster sit alieni instar Dei causa evaserit, et convertatur agatque paenitentiam eique usque septuagies dimittamus [1], cum peccatum non repetat, si eum ob id a nobis cogitaverimus abscindere. Verum si recusabit, ne a peccato avertatur, licet eum a nobis ob id abscindere cogitaverimus, a nobis eum abscindemus neque ad nos se convertet neque eum diligemus, sed Dei causa, licet frater noster sit, nobis erit inimicus. Hac igitur ratione *homo* Dei amans totam suam erga Deum aperit voluntatem, quod eum plus quam fratrem suum dilexit et plus quam patrem suum et matrem suam [2].

Magna enim perfectio est, quod homo fratrem suum vel filium vel filiam vel patrem vel matrem vel aliquem suorum hominum alium Dei causa a se abscindit, cum in eum, qui ipsos procreavit i. e. Deum, peccaverunt.

Ac magna fortitudo est, quod homo Dei causa inimicos suos diligit et pro eis, qui ipsum persequuntur *et* iniuria afficiunt, [[3]] Dei causa precatur et eis, qui ipsi male dicunt nefas*que* faciunt, bene dicit.

Et hac ratione dixit : « Frater tuus sit * tibi ethnicus et telonarius * p. 129.
Dei causa, quando peccaverit adversus Deum. Ipsum vero inimicum tuum, qui in te peccaverit, dilige et faustis precibus prosequere Dei causa ».

Nos vero ipsi, fratres, quoad inter nos socii sumus, nos unius hominis [4] i. e. Dei alumni sumus et nos unius matris i. e. Hierosolymae caelestis alumni sumus *sacras* secundum litteras [5]. Num quid igitur pater noster et mater nostra, qui nos ex parte naturali genuerunt et nutriverunt, potiores sunt Domino nostro Iesu, vere patre nostro et matre ? Qui quidem nos genuit in sanguine suo sacro [

76. De vita monachorum. XXIII.

] erunt omnes. Necesse est enim unumquemque pro tribunali Christi stare singulosque corporibus suis debita (?) accipere secundum ea, quae fecerint sive bene sive male [6], ut omnibus in rebus nostris id, quod Deo placet, agamus insidiasque et magnas poenas infinitas*que* et vindictas terribiles effugiamus et hereditate accipiamus ea, quae

[1] Matth., xviii, 22. — [2] Matth., x, 37; Luc., xiv, 26. — [3] « et », quod delendum est. — [4] Fortasse ⲚⲞⲨⲈⲒⲰⲦ *patris* legendum est loco ⲚⲞⲨⲢⲰⲘⲈ *hominis*. — [5] ... — [6] II *Cor.*, v, 10.

oculus non vidit, auris non audivit, in cor hominis non ascenderunt, quae quidem praeparavit Deus iis, qui diligunt eum [1].

Proinde cauti simus in omnibus rebus et Deum pro ipsius dignitate veriti ad precationis praecepta diligenter attendamus sive in coetu sive « sex *illis* temporibus » sive in domibus quovis loco sive in agro sive in conventu, ubicumque erimus, ne viatore quidem excepto,
* p. 130. ita ut * Deum toto ex animo invocemus intuentes precationis venustatem, brachiis nostris in crucis formam extensis, precationem in evangelio [2] consignatam proferentes, oculis *et* animi et corporis nostri ad Dominum levatis, quemadmodum scriptum est [3]: « Ad te levavi oculos meos, Domine, qui habitas in caelo, sicut [4] oculi servorum manus dominorum suorum intuentur », in principio precandi signo baptismi nos signantes, ut crucis figuram frontibus nostris imprimamus exemplo eius diei, quo baptizati sumus, et ad modum apud Ezechielem [5] significatum, non manum nostram prius loco oris nostri vel barbae deponendo, *deinde* supra in frontem nostram attollendo, signatos nos esse nobis persuadentes [6]. Eiusmodi non est signum baptismi, sed singulis nobis eo die, quo baptizati sumus, figura crucis fronti impressa est.

Simul enim atque ad precandum pulsatum erit, surgere festinemus, et *cum* ad genu flectendum pulsatum erit, procumbere ad Dominum venerandum maturemus, postquam ante genu flectendum nos prius figura crucis signaverimus. Et cum in os proni iacemus, nostra peccata animo deploremus, quemadmodum scriptum est [7] : « Venite, adoremus et ploremus ante Dominum, qui fecit nos ». Neque quisquam omnino nostrum prostratus caput tollat, quoniam magna haec est irreverentia et effrenatio.

Sin autem rursus surrexerimus, nos figura crucis signabimus et postquam precationem evangelii recitaverimus supplicabimus, cum dicemus : « Timorem tui, Domine, animis nostris ingere, ut vitae
* p. 131. operam demus aeternae et te * vereamur ». Et singuli suspiriis apud se tacitis effa(bu)ntur [8] : « Ab occultis meis, Domine, munda me *et* ab alienis parce servo tuo. Si mei non fuerint dominati, immaculatus ero et emundabor a delicto magno », et [9] : « Cor mundum crea in me, Deus, spiritus rectus innovetur in visceribus meis ».

[1] I *Cor.*, II, 9. — [2] MATTH., VI, 9-13; LUC., XI, 2-4. — [3] *Ps.* CXXII, 1. — [4] Ad verbum : ad modum oculorum servorum...... intuentium. — [5] EZ., IX, 4-6. — [6] Ad verbum : cum animo nostro dicentes : « Signavimus nos ». — *Ps.* XCIV, 6. — [8] *Ps.* XVIII, 13 et sq. — [9] *Ps.* L, 12.

Et si ad sedendum pulsatum erit, frontes nostras rursus figura crucis signabimus et considentes animosque auresque ad orationes sacras quae recitabuntur convertemus, quem ad modum in litteris sanctis iussi sumus [1] : « Fili mi, verere verba mea ; si vero ea acceperis, age paenitentiam ! » et iterum [2] : « Fili mi, attende ad sapientiam meam, verbis autem meis inclina aurem tuam ! »

Ne quis autem in coetu, nisi intueri opus est, vultum socii sui intueatur. Si quis *enim* re necessaria non coactus os vicini sui aspiciet, risus quidam fortior vel lenior in vultu elici solet minime utilis aut indignatio quaedam movetur. Proinde omnem rem, qua animus noster accipiat detrimentum, caveamus cordaque nostra manibus offeramus Domino nostro caelesti [3] preces nostras ex toto pectore fundentes, cum praecepto illi parebimus [4] : « Immola Deo sacrificium laudis et redde Altissimo vota tua et invoca me in die tribulationis tuae et eruam te et honorificabis me ».

Nemo igitur dicat : « In conspectu Dei, quia segnis sum, fiducia mihi deest ipsum invocandi. Magnam Dei consideremus misericordiam in * litteris sanctis *exhibitam*. Filio *illi*, qui rem suam luxuria * p. 132.
dissipaverat, cum toto animo et *mentis* demissione ad patrem rediret [5] : « Ex hoc, aiebat, non sum dignus, qui me vocem tuum filium », vide quid misericordia divina fecerit. Et telonario, qui pectus suum percussit oculos ad caelum levare non ausus *et* in domum suam abiit iustificatus a Domino [6]. Et Davidi [7], cum res ei fuisset cum Bethsabee [8] et Uria, quem quidem occidendum curaverat. Et magno *illi* apostolo Petro [9], postquam Dominum ter negavit. Iam de indulgentia et misericordia Domini, de aeterno Dei gloriae incremento in gaudio regni caelorum laetantur. Proinde nos quoque magnae Dei misericordiae confidamus et totis animis eum invocemus omni tempore !

Contione dimissa recitemus, dum ad domos nostras perveniamus, n*eque* quisquam, cum [ex] contione [10] discedemus, cum altero loquatur, etiamsi res necessaria sit in rebus congregationis. Permaneamus, quoad ad domum nostram perveniamus, in praeceptorum vitae observatione !

Quod autem ad mysterium nostrae, quando vocabimur, salutis

[1] .... — [2] *Prov.*, v, 1. — [3] Cf. *Lam.*, III, 41. — [4] *Ps.* XLIX, 14 et sq. — [5] Luc., XV, 11-24. — [6] Luc., XVIII, 9-14. — [7] II *Reg.*, XI, 1-XII, 23. — [8] Verbum scriptoris : Bersabee. — [9] Marc., XIV, 66-72. — [10] Lege ⲉⲛⲛⲁⲃⲱⲕ ⲉⲃⲟⲗ ϩⲙⲡⲥⲱⲟⲩϩ (Leipoldt).

attinet, magna nos cum reverentia praeparemus Dominum toto animo consiliisque omnibus obsecrantes, ut ipso — magno hoc dono — evadamus digni nosque ad id, quod Deo placet, redintegret ad voluntatem eius perfectos corpore, anima, spiritu *et* fretos Servatoris dicto [1] : « Caro enim mea verus est cibus et sanguis meus verus est potus. Qui manducabit meam carnem et bibet meum sanguinem, is * p. 133. in me * manebit et ego in eo ». Grata cum voluntate mysterium accipiamus et cum gaudio atque exsultatione in domum nostram (red)eamus nullis, qui nos vide(bu)nt, ullam dantes universa in vita offensionem [2] sive clericis sive aliis, ut laudem Deo tribuant totam cultus divini disciplinam nobis vere indutam conspicati.

Porro recitemus ad conventiculum accedentes et rursus ex conventiculo discedentes. Frequentem vero cum aliquo, non solum cum externis, verum etiam cum fratribus nostris, confabulationem aut vociferationem in loquendo statuamus nobis abominandam. Hic enim agendi modus est otiosorum et eorum, qui ad animos suos explendos non attendunt. Sed verbum divinum nobis retineamus cibum vitalem, quemadmodum scriptum est [3] : « Non solo pane vivet homo, sed omnibus verbis, quae procedunt de ore Dei, homo vivet », et locupletemur *rebus* memoriae traditis. Qui plura non consequetur, ne infra decem partes et unam partem psalterii remaneat. Et qui per singulas noctes non *plura* proferet, decem psalmos vel quinque et partem unam memoriae mandatam proferat.

Et qui ad recitandum noctu surget, si is qui in cella cum ipso est quiescere perget neque ad recitandum nocte surget — qui vero experrectus est, quia consideratus et de cura animi sui Deique occursu sollicitus est, idcirco non opprimitur somno — ante portam cellae exibit parietemque pulsabit, ita ut is, qui dormitat, surgat et recitet, ut ad psalmos suos et partem suam memoriae mandatam, priusquam ad conventum pulsatum erit, proferendam aggrediatur. * p. 134. * Si rursus non expergiscetur, ab exteriore parietis *parte* eum nomine clamabit, donec surgat. Si vero expergefiet nec ad recitandum volet surgere, cum in periculo mortiferi morbi non versetur, sed per Deum viribus polleat, *quandoquidem* homo piger est, exsecrationem, quam *divinae* litterae in pigrum edunt, *quasi* hereditatem accipiet.

Et rursus homo etiam piger secundum opera sua aperta, nisi omnibus viribus suis operatur, ut victum suum quaerat laboribus

[1] Ioh., vi, 55 et sq. — [2] Cf. II *Cor.*, vi, 3. — [3] Matth., iv, 4.

suis et vestitum universosque corporis usus necessarios sive valens est sive morbo, si quis in eum ingruit, correptus sive senectutem, si obvenit, adeptus, ut aliquid inveniat expendendum omni tempore et alium panem post eum inveniant et in loco. ostiario praebeant, verum de laboribus fratrum suorum perseverat comedere et veste se induit ex eis, quae fortitudine sua et pietate filiali collegerunt, etiamsi filius ipse sit et culpae expers, sed pigritiam sibi soli elegit.

Similis erit autem in aeternitate quoque filio magni in terris principis et nobilis, cuius pater cunctique fratres in gloria gaudioque divitiarum sunt et in gloria sui ordinis, cum ipsorum condicio sit duces esse vel praefectos, ipse vero labe affectus est mendicitatis, contumelia et habitu mendicitatis et ignominiae collo eius impositis, *stipem* emendicat ab eo,......... cum omnes homines fratrem eius contueantur sedentem in solio praefecturae. Contuentur iidem hunc in hace sede singulari mendicum. Hac ratione sancti et angeli hominem pigrum contuebuntur * in aeternitate quoque : etiamsi iustus sit gaudii*que* in loco sit aeterni et laetitiae regni caelestis, mendicus est. * p. 135.

Proinde pigritiam caveamus in omni re, primum quidem, ut fructum ferat Deo in fructibus Spiritus sancti, deinde in rebus corporis secundum eius usum. Fructus igitur Spiritus sancti, quos discet homo, conversione sibi comparat et neglegentiis, quas admisit, ingemiscit ac Dei timorem sibi retinet confiditque omnes, quae in litteris sacris scriptae sunt, res eventuras esse ne*que* dicta post tergum reicit more hominis in terris tyrannici et iniuriosi vel incesti vel furacis, qui mortis formidinem de se abiciunt, dum id, quod desiderant *et* quod eos tradet exitio, exsequantur, et posthac mors ea, cuius timorem a se abiecerunt, eos capiet, quippe quam nemo effugere possit, cum sententia sit ore Dei prolata [1] : « Quo die comederitis ex hoc ligno, utique moriemini ». Huiusmodi sunt etiam sententiae omnes, quas per Sanctum suum pronuntiavit : omnes exitum habebunt, cum nemo ipsas effugiendi habebit potestatem. Proinde, carissimi, retineamus nobis Dei timorem et opera maledictionis fugiamus operibusque induamur benedictionis, ut inveniamur pleni fiduciae hoc etiam in saeculo usque ad omnia saecula saeculorum. Amen.

Praeterea autem cum sede(bi)mus in coetu, decore sedeamus

[1] *Gen.*, II, 17.

* p. 136. vestimentis nostris pedes contegentibus nobisque adstrictis * atque in coetu ne longius prospiciamus; neve monachum externum aut alium hominem aspiciamus neve pedem in storeis ante fratres stratis ponamus ad sedilia nostra accedentes. Omnes autem res, quae cultui divino conveniunt, nunc omissas inter nos docebimus aliusque alium promovebimus doctrina divini Servatoris nostri Christi Iesu, Domini nostri, cuius quidem gloria est et virtus in aeternitates. Amen.

MONITA VILICORUM.

Unusquisque igitur nostrum ei rei, ad quam designatus erit, Deum veritus cum diligentia bene praesit. Vilici curam omnibus in suo ministerio rebus impendant, ne quae ex ipsis pereat seu panes in aqua *intinctos* obliviscentes, ut corrumpantur, seu pigritia quadam ducti multum aquae salsae parantes, ut duobus diebus suppetat, verum id quod diebus singulis suppetit parantes, ita ut nihil plus scypho liquaminis (?) salsi supersit. Neve multas in aquam demergant palmulas, ut multum liquoris palmei, qui diebus suppetat duobus vel tribus, conficiant, ita ut dulcedo palmulae acescendo mutetur. Neve uno die....... plus coquant quam singulis hebdomadibus satis est et.......... lavandos (?) curent vel bis in die, si *id* quidem fieri potest, aquam super eos vivam immittentes, ut fratres iis vescantur nullo malo odore imbutis. Praeterea autem ne olera patiantur supra
* p. 137. modum convenientem putrescere. Ne ullum frangant * incuria vas testaceum, ne urceolum quidem testaceum. Omnibus denique rebus fideliter attendamus; communitatis enim res humano arbitrio subiectae non sunt quemadmodum res profanae. Atque vilici, qui *quae opus sunt* parant, hilari cum vultu hospiti provideant et cum sermone convenienti. Quod vero ei dabunt, id cum hilaritate dent easque res, quas parabunt fratribus, magno cum studio Deique reverentia conficiant. Quod *autem* coquent, bene coquant sive in camino sive in fornace et diligenter curent, ne *nimis* multa ligna comburantur, sed terna ad praeceptum in singulis furnis ligna, neve plura igni ligna iniciant. Quod igni *praebetur* plurimum, sunt fasces lignorum duo. Qui porro alicubi fornacem accendent, hunc in modum *faciant*. Praeterea ligna, quae fornaci inicient, nulla sinant comburi, dum exstinguuntur ustione absoluta, et minuta quaedam curent super lignis comburenda propter fumum. Et titiones fortiter in fornacem trudant, ut permaneant coacervati et fimo supra vel alia

re contegant, ut id, quod fornaci iniciant, seu tritici seu lentis *grana* sedate emollia(n)tur. Fortissima enim ab initio flamma ea non belle emollit. Postea si fornax ima aperietur, totum panificium quando usus erit inveniemus [1], et quod coquent, id belle coquant. Si multus est ignis, fortiter *et* studiose eum misceant urnasque ponant iunctas, ut ii titiones quoque, qui eis subsunt, accendantur. Ii praeterea, qui aegrotantes curabunt, eodem modo id quod coquent ad indigentiam aegroti parent curam ei impendentes magna cum misericordia. Quicumque * porro hunc in modum ad ullum officium constitutus * p. 138. erit, etiam is, qui fratres circumiens aquam distribuet, manus lavabit, priusquam aquam hauriat, et cyathos bis in hebdomade duobus in ieiuniis ad praeceptum bene purgabit. Arcam (?) vero semel in hebdomade purget cyathosque misceat et cottidie, priusquam hauriat aquam, effundat. Oportet autem etiam vilicos lebetem vel aliud aliquod vas non neglegere, ita ut in igne pereat propter aquam vel eorum motionem usque ad....]

(*lacuna*)

......]. rursus ut (?) [...] eorum sub eos hum[i] prosternantur [e]t lingua eorum procul absit ad os eorum confundendum.

Propterea igitur, fratres mei, certo sciamus ne*que* verba ea esse neque voces, verum omnino erunt. Perquam vereamur, ne omnino offendamus eo in loco, ubi sunt duo vel tres congregati in nomine Iesu. Est enim cum eis et in medio eorum [2], quemadmodum dixit. In evangelio iam audivimus magnas Domini vindictas, velut eius qui ad nuptias vocatus erat, etiamsi introisset *et* accubuisset ipse quoque cum accubantibus. Cum autem eum invenissent non vestitum veste nuptiali, rex eum pedibus et manibus ligatum in tenebras exteriores eiciendum curare non dubitavit; ibi erit fletus et stridor dentium [3]. Intendamus igitur animum ad miseriam * stridoris dentium; * p. 139. ***videte,*** cuius generis sint, maxime eos perseverare et maerorem tenebrarum ibi permanere in sempiternum. Attendamus porro ad quinque virgines fatuas, quae non sumpserant oleum secum : tulerunt ipsae *quidem* lampades suas *et* processerunt cum prudentibus sponsumque exspectaverunt usque ad mediam noctem; sed clausa eis est *ianua et* locum nuptiarum introire prohibitae sunt, quoniam oleum in vasis earum repertum non erat, et dominum audiverunt

[1] Vel : cadent (ⲉⲩⲛⲁϩⲉ W.E. Crum) in totum *ignis* alimentum, quando res feret. — [2] Matth., xviii, 20. — [3] Matth., xxii, 11-14.

sibi dicentem : «Nescio vos, unde sitis» [1]. O magnum istum gemitum ac maerorem istum perpetuum, quod, postquam ipsae quoque usque ad mediam noctem perstiterunt cum sociis virginibus, sorores earum ad nuptiarum locum receptae sunt, ipsae vero repulsae !

Teneamus nobis Dei verborum verecundiam et ab incuria interitus nos exitiique aeterni excitemus! Ne desideriis carnis irretiamur huiusque saeculi voluptatibus, *ita* ut pater Iesu nos e vite excidat. Ne nobis ipsis simus sapientes [2], ut solvamus unam de [doctrinis] [3] minutis et nomen summae parvitatis [mereamur(?)]. Omnes in vera
* p. 140. vite maneamus, ne mittamur foras sicut * palmes et arescamus et igni iniciamur atque comburamur [4]. Palmes enim si e vite excidetur quo vadet? Non enim hoc saeculum solum est, in quo dominatur vitis, verum saecula sempiterna. Iesus Christus ipse dominus est.........
.....in tali mentis obcaecatione sive hebetudine, quod rem aliquam possumus statuere sive quod statuit propter nostram ipsorum amentium sapientiam vel fortitudinem. Si *nobis* est facultas vel intellegentia rem aliquam animo et corpori nostro exteriorem constituendi, constituamus utique animum et corpus nostrum, ut ad tribunal Dei accedamus nulla labe corpori et animo et spiritui nostro aspersa. Dico ea, quae statuit. Reprehendamus nos maximus quisque et minimus, ut diligenter in suo quisque negotio ab hac tali ignominia hacque hebetudine caveamus, quae cogitatio[.......], sed.... qui.....omnes res et constituit eas per angelos suos illustres et per homines.

QUAM IN MESSE FACIENDA OPORTEAT OBSERVARE RATIONEM.

Deus Abrahami et Isaaci et Iacobi, Deus apa [5] nobis simul bene dicat!

* p. 141. * Volumus autem vobis in memoriam reducere, quam rationem in messe et in tritura oporteat observare, ne in oblivionem veniat, secundum legem communitatis : hominem conventus statuere, quis homo iturus sit .[.....]...[.....]. porta.[...]messis.[...a]ger ..[....f]ratres, qui opus facient, et satis etiam est dimittere eos tempore convenienti. Et locus *quidem*, quo messionem facere vel aliud opus volet pro operibus perceptionis *frugum* aut agriculturae

[1] Matth., xxv, 1-12. — [2] *Rom.*, xi, 25. — [3] Lege CBω; cf. Matth., v, 19. — [4] Cf. Ioh., xv, 4-6. — [5] = abbatis nostri(?).

in sententia hominis congregationis et moderatoris agrestium — opus, cuius singulas *partes* attribuet hominibus, qui cum ipso erunt, cum nemo ei non parebit, verum cum eam rem, ad quam destinati erimus, hilares sine murmuratione exsequemur, ut praemium nobis apud Deum fiat, cum nemo intra operationem lites movebit neque quisquam garriet, sed cum suam quisque nostrum rem geret Deum veritus sine iactantia atque altercatione, ut Dei favor in nos demittatur et omnibus manuum nostrarum operibus bene dicat, et cum nemo vultum socio suo occludet (?), ut eum metentem post relinquat. Verumtamen si robur in nobis est, ut fratrem nostrum, qui nostri similis est, in messe facienda relinquamus, animum a iactantia carnali defendamus — Deus enim dat robur — caveamusque socium nostrum despicere, ne instar simus *istius* pharisaei, qui publicanum despexit[1]. Vos. [...] honorem huic [...] secundum id, quod vobis debebitur. Vere id vobis dico, ut hunc in modum fideliter agatis sine studio placendi hominibus. Deus bonum suum * nobis * p. 142
aperiet thesaurum i. e. caelum caeli, ita ut id quod scriptum est in nobis perficiatur verbum : « Copia maris ad vos se convertet et gentium et nationum[2] et, qui spem non habent in hominibus, laetitia saturabuntur »[3]. Praeterea autem ne*que* vendere oportet neque accipere neque quicquam sive magnum sive parvum agere inconsulto praeside conventus et [ministerii.......].[.....]... [.....]....[.....] omnisque res, maxima quaeque et minima, in loco administrationis notetur aperte et clare, ut nomen Dei universis e rebus omni ratione illustretur, quas perficere aggrediemur[4], et maxime sint ornatae, ita ut, etiamsi quivis ea videat, ipsis acquiescamus, cum singuli omnibus in rebus, quas facimus, et maioribus et minoribis dicimus [..........].[ ]. ad[ministrator], qui instruit praesidem congregationis atque hebdomadarium et eum, qui est apud iumenta et sues, et eum, qui opus rusticum facit omnemque rem secundum nostram condicionem, cum nemo quicquam, ita ut pessumdaretur, neglexit, conscius laborem aliorum vel suum ipsius laborem esse, quem sibi consumat vel pro se expendat stipes, quae animam ipsius redimant. Nihil enim Deum praeterit, ne duo minuta quidem cuiusdam viduae[5] aut calix aquae frigidae[6], et magnus ille huiusmodi Abra[hamu]s : « Inde a funiculo, inquit[7], usque ad corrigiam cal-

[1] Luc., xviii, 11. — [2] Is., lx, 5 ; cf. Zach., xiv, 14. — [3] ... — [4] Lege ⲉⲧⲚⲚⲀϨⲒ ⲦⲞⲞⲦⲚ· — [5] Cf. Marc., xii, 42. — [6] Marc., ix, 40. — [7] *Gen.*, xiv, 23.

* p. 143. ceamenti ». Et Dominus cum e medio * igne cum Moyse loqueretur *et* traderet ei eas quas filiis Israel, cum vocem ex igne audire possent, constituturus erat leges, praecepta eis dedit de rebus omnibus atque adeo de iumento a fera dilacerando vel confodiendo a tauro [1]. E vero igitur de omnibus rebus *aliquid* accepistis : de omnibus rebus interrogabitur. Nullam neglegamus! Omnes enim administrationis res a Deo praeceptae sunt. Et scimus fore, ut misericordia nobis obtingat propter rerum fraternarum procurationem. Si legem societatis in terra acceperimus, gaudium cum ea accipiemus regni caelorum. Proinde etiamsi res perituras curemus, corporis e necessitate quadam sustentationem, videamus, ne per causam rei necessariae, quae transibit, ipsam animam, quae cibo antecellit [2], a vita abalienemus aeterna. Praecepta autem precationis *et* conventus et sex temporum *precationis* suis horis exsequamur ad leges constitutis.

PRAECEPTA PISTRINAE [3].

Quam in pistrina observare oporteat rationem.

Si tempus advenerit exiguum nostrum panem conficiendi, nos omnes, qui sive maiores sive minores ad panem nostrum parandum p. 144. incumbemus cum quadam Dei verecundia magnaque cum * sollertia, verbum divinum cum reverentia recitabimus sine superbia aut iactantia aut placendi hominibus studio [4]. Non solum qui tabulae insidemus, verum qui omnibus loco in subactario [5] operibus occupamur, universas exsequemur res, prout quisque destinatus erit, animo volenti suamque rem aget sine loquacitate aut clamore. Neque quisquam cachinnare omnino audeat, ne litterarum *sacrarum* reprehensio in nos cadat [6] : « Panem suum parant cachinnantes » [7]. Si vero necessitas obvenerit, ut aliquis de re quapiam socium consulat, summisse consulat eum oportet sine strepitu. Neve quisquam seu senex seu puer cibum sumat, priusquam ad comedendum pulsatum erit. Puer autem si edere ei libeat, nequaquam in loco furnorum edat aut inter fratres non comedentes, verum detur ei panis, ut solus

[1] Cf. *Ex.*, xxi, 28, 35; xxii, 10 et sq. — [2] Matth., vi, 25. — [3] Sive : pistationis (?) — [4] Vel melius secundum C : Si tempus advenerit exiguum nostrum panem conficiendi, nos omnes sive maiores sive minores ad panem nostrum parandum incumbamus cum quadam.... recitantes...... studio. — [5] Vel : omnibus pistationis operibus. — [6] *Eccl.*, x, 19. — [7] Vel : in risum faciunt panem suum.

seorsum secedat et comedat. Et postquam a mensa surrexerimus hora prandii meridiana, nullus alius cibus sumatur, quoad contio meridiana dimissa erit. Sin autem contio meridiana dimissa erit, minister alimenti (?) quantum panis satis erit in corbem quandam iniciat eamque in locum frigidum deferat paululo salis puri, cui nihil aliud, ne portae quidem sal, admixtum erit, adiecto idque cum panario deponat, ut illuc qui * volet edere eat et comedat. Qui autem * p. 145.
comedent, ne sane placentas (?) eligant, sed quod nobis obvenerit, sive in corbe sive in mensa, id capiemus et manducabimus, quamdiu placentae (?) molles erunt. Minister igitur placentarum (?) perfecta cum caritate placentas (?), quas in corbe vel in mensa ponet, eligat coctas et bonas sicut unum panem, quem sibi seliget manducandum. Neve quisquam seu maior seu minor toto loco subactario, ne aegrotus quidem, loquatur, cum cupiet panem sibi parari alia ratione ac fratres utuntur, ne corticem quidem, quem nemo solus comedat; sed praeses congregationis curam ei impendet aut is, qui aegrotis ministrat, eum docebit curabitque, ut omnes ii instruantur et vescantur eodem modo. Et si cortices quoque parabuntur, praefectus (? minister ?) placentarum (?) eas custodiat in locumque aegrotorum deferat. Porro si panicelli cum quodam studio confici possunt, paulum etiam condimenti eis addamus [1] praeter partem *assignatam* et ad mensuram quinque fere corbium belle eos parabimus, ut minister (? praefectus?) placentarum (?) eos conservet praeter partem *assignatam* immittatque in locum aegrotorum. Ex sententia praesidis congregationis eos paremus. Hoc est, quod aegroto convenit. Hoc solum; libum enim est voluptarium. Placenta enim , quae cocta et pura est, gustu melior est, * quam........., stomacho enim gravior est. Et * p. 146.
qui molam vel farinam curabunt, cum Dei verecundia operi, quod faciunt, studeant sine ullo prorsus contemptu, cum sciamus nullam rem bonam, quam homo Dei causa faciet, perituram esse, sed omnia nobis solacio futura esse die magni iudicii.

Subactio autem vespertina loco in subactario secundum praescripta eorum, qui in magidibus subigunt.

Praefectus casae furnariae eos, quos constituerit [2], hora depsendi de sententia pistoris convocabit et eos, qui depsent, et eos, qui aquam curabunt haurire, designabit magidesque pariter aequaliterque distribuet non aliquas ex eis ad subigendum commodas ponens solas

[1] Lege ⲉⲛⲉϯⲕⲉϣⲏⲩ. — [2] Vel : qui constituti sunt (C).

separatim. Deinde eos, qui in magidibus depsturi sunt, secundum ordinem domorum disponet, neque quisquam magidem sibi ipse eliget. Quicumque subactario in loco sumus, omnes recitemus non voce contenta, sed summissa. Et qui farinae praefectus est, dimetiatur * p. 147. farinam et suam quisque arcam farinariam iuxta eam magidem, * in qua subacturus est, ponat, quoad pistor manibus magidem pultet vel dicat : «Depsite!» Nemo autem depsat neve quis farinam in magides *defundat*, nisi pistor dixerit. Neque vero condepsemus sine recitatione. Copia nobis est recitandi et copia nobis conticescendi. Porro si animo nostro volumus recitare, recitabimus. Si paulum aquae nobis opus erit, magidem pulsabimus non colloquentes cum eis, qui aquam provident, et *hi* cito afferent ac ne ipsi quidem eloquentur recitantes et caventes, ne aquam apud homines condepsentes profundant. Qui vero depsent, farinam in magidem infundant sine violentia, ne pollen farinae oriatur vel ne os corbis ad aquam descendat. Et velociter operam dent farinamque digerant nihil farinae relinquentes in ima magide neve quicquam pollinis patiantur in magidis utero haerere neve multum aquae in eam infundant, ut farina molliatur. Sin autem capita de magide tollent, ut paulum intermittant, stantes recitent. Posthac rursus depsant, quoad pistor ipsos circumeat fermentumque eis praebeat. Sin autem depsere cessaverint, suam quisque bene lavet magidem et aquas in eum, quo effunduntur, locum effundat, ut eas auferat subulcus[1]. Tum precentur — atque ad precem etiam attendamus ab initio ad praescriptum — et in domum suam se conferant omnes recitantes, nullo subactario in loco locuto, sed perficientibus nobis legem cum gratiarum actione.

p. 148. * Et haec *quidem* est subactio loco in subactario. Nullus cibus sit peculiaris ulli homini, qui loco subactario operetur, verum cibus idem sit iis omnibus : depsentes autem exaequantur cum eis, qui ad quodvis opus destinati sunt, quemadmodum ab initio constituit pater societatis apa, is cui a Deo magnum hoc munus commissum erat. Etiam si ii qui post eum exstiterunt patres leges statuerint de cibo pistoribus peculiari, fecerunt quemadmodum fecit Moyses, sicuti ex evangelio audivimus, cum dicit[2] : «Ob duritiam cordis vestri Moyses permisit vobis dimittere uxores vestras; ab initio autem non fuit sic». Sin autem homo se seiunget a fratre suo et cibo suo differet ab eo propter laborem paululo maiorem quam exeuntium ad messionem vel ad aliud

[1] Lege ⲙⲁⲛ-ⲣⲓⲣ. — [2] Matth., xix, 8.

opus, in quo solent aestu corripi, ne fratres, qui ad aliud in coetu opus destinati sunt, sinantur cum eis comedere, quoniam ipsi ad tolerandum aestum aut ad laborem suscipiendum non exierunt. Sed unitas societatis — una mensura est omnibus secundum rationem agendi sanctorum. Ita David [1] ad eos, qui ad bellum profecti non erant, se contulit et tranquille cum eis locutus e spoliis suam eis partem dedit prorsus aequalem atque eis, qui cum eo ad bellum profecti erant. Non audivit eos, qui prave dixerant : «Non dabimus eis». Et Dominus in evangelio [2] similitudine nos docebat, cum ii, qui portaverant pondus diei et aestus, murmurarent *et* dicerent : «Qua re eos, qui una hora operati sunt, pares nobis fecisti?» Quin etiam reprehensiones audierunt : «An oculus tuus nequam est, quia ego bonus sum?» Quocirca convenit, ut ei, qui aliqua re indigebit seu minor seu * maior *natu*, illi qui in nostro conventu ad singula opera * p. 149.
secundum condicionem nostram assignati erunt, si quis aestu plurimum laborat, prospiciant praefecti. Si escam suam de fratrum mensa sumere vere non potuerit, eos commonefaciat animo in Deo acquiescente, quod non contemnebat neque a fratribus differebat e more quodam tradito aut quadam consuetudine neque cupiditate quadam voluptaria vinum expetens vel cibum singularem, verum e necessitudine quadam atque indigentia. Et hoc pacto id cum ingenuitate puerili significemus, omniaque ea, quae necessaria nobis sunt, nobis afferant pro facultate, quae nobis est, et *pro* eo, quod Deus ad tempus dabit. Etiam si fratres universi paulo cerevisiae vel alio alimento ad legem societatis *convenienti* indigeant, id praeses conventus eis statuet animo misericordi et lubenti. Sin autem Deus eos, qui ad furnos sunt, ea virtute, quam sanctis *illis* in fornace *inclusis* dedit [3], roborabit, ne debilitate quadam quaerant a fratribus differre de more tradito. Modo nos circumspiciamus, ne quaeramus id quod invenire difficile est aut id quod paratum non est, licet e lege sit; sed potius libertatem inveniamus dicendi exemplo Pauli [4] : «In omnibus institutus sum satiari, esurire, abundare [5], penuriam pati; omnia possum in eo, qui me confortat», Christus Iesus.

Et aliam quoque rem facere decet ad sanctae societatis de ordine cultus divini legem eamque faciemus omnes instar viri unius, quemadmodum scriptum est [6] : «Qui ieiunaverunt, erant omnes cor

[1] I *Reg.*, XXX, 21-25. — [2] MATTH., XX, 1-15. — [3] DAN., III, 8-50. — [4] *Phil.*, IV, 12 et sq. — [5] Lege ⲉⲣϩⲟⲩⲟ. — [6] *Act.*, IV, 32.

* p. 150. unum et anima una », ut * Deus cibum nostrum reddat salutarem eumque cum gaudio et laetitia in Spiritu sancto sumamus et gratia super eum descendat et permaneat neve cito cesset atque Dominus rursus bene vertat omnia, quibus faciendis manus admovebimus [1].

Omnem autem rem, quam congruenter condicioni nostrae oportet facere, in Dei gloriam faciamus [2] seu esum et [3] opera agrestia messoriaque et collocutionem cum saecularibus, qui in via nos et loco ostiario convenient vel quos ob rem adibimus coetui necessariam : omne denique opus verbumque omne in Dei gloriam, verum esse scientes quod scriptum est dictum [4] : « Qui glorificaverit me, glorificabo eum ». Voces enim *sacrarum* litterarum divinitus inspiratarum [5] verae sunt et perquam fideles sive in bonis sive in poenis. Et in omni operatione et subactario in loco operam demus, ut perfectas reddamus preces *et* coetus et sex temporum suis horis ad leges societatis magno cum rogatu ac fletu supplicantes Deo bono, ut misericordiam suam et gratiam nobis conservet, qua nos excitavit, ut iterum nos renovet in caritate sua detque nobis robur in infirmitatibus nostris neve nos amplius in foveam inertiae nostrae patiatur rursus devolvi timoremque sui in animis nostris reddat die ac nocte flagrantem instar ignis ardentis. Per hunc enim talem timorem non modo gehennam ignis [6] effugiemus et locum stridoris dentium [7] pudoremque infamiae loco gloriae plenum [8], verum hereditatem
* p. 151. accipiemus ea, quae oculus non vidit nec auris * audivit nec in cor hominis ascenderunt, illa quae praeparavit Deus iis, qui diligunt eum [9]. Atque etiam hoc in saeculo omnibus operibus, quibus faciendis seu in vico seu in agro manus admovebimus, cunctorum sanctorum favores nobis benevole conciliabit. Et panem nostrum et aquam reddet salutarem, quemadmodum scriptum [10] est : « Si mandata Domini Dei tui custodieris, benedictus eris in civitate et in agro et reliqua quoque benedictione ». Sin autem quod de foris est calicis et catini mundamus, id quod intus est mundum erit secundum vocem Domini [11]. Et si Christus in homine nostro interiore residet per fidem in animis nostris radicesque per caritatem in fundamentum immittimus, tum auribus nostris etiam Deum audiemus, qui apparuit *et* : « Ea quae non postulasti, inquit [12], dedi tibi », gloriam et divitias

[1] Lege ⲉⲧⲛⲛⲁϫⲓ-ⲧⲟⲟⲧⲛ. — [2] Cf. I *Cor.*, x, 31. — [3] Exspectatur : seu. — [4] I *Reg.*, II, 30. — [5] Cf. II *Tim.*, III, 16; II Petr., I, 21. — [6] Matth., v, 22. — [7] Ibid., VIII, 12. — [8] Vel : pudorisque... pleni. — [9] I *Cor.*, II, 9. — [10] Cf. *Deut.*, XXVIII, 2. — [11] Luc., XI, 39. — [12] III *Reg.*, III, 13.

multas. Et si oculi mentis nostrae illuminabuntur et vitam sanctorum et fidei in Deum firmitatem omnibusque in aerumnis fortitudinem imitabimur, tum prosperitatem videbimus Abrahami et Isaaci et Iacobi et Iobi et Iosephi et Davidis et apa, patris societatis; erat enim *hic* aliquis, quem Deus vocavit *et* fortunavit *et* amavit ac sane quam auxit.

DE AGRI CULTURA PRAECEPTA.

Qui pro fratribus exibunt ad operandum, tempus, quo exire convenit, et tempus, * quo convenit eos dimittere, diligenter conservent. * p. 152. Sin autem aliquam rem facere necesse erit vel absolvere operamque meridie vel vesperi paulo protrahent, ne gravemur neve murmuremus! Modo ne conventum aut *divinum* cultum aut cenationem prorsus neglegamus! Coloni omnibus agri culturae rebus Deum veriti bene prospiciant. Labor enim, quem quisque socio suo maiorem suscipiet, eveniet ei instar illius, qui quinque talenta et qui duo et qui unum accepit. Quapropter nos oportet in *rebus* minutis esse curiosos, ne quid per neglegentiam pessum ire patiamur. Qui aquae ducendae(?) prospicit, ne sinat aquam die nec nocte fluere sine irrigatione neve multum aquae immittat in fossam aut in locum humilem neve ullam partem eius agri, qui irrigabitur, relinquat non rigatam neve aquam dividat in canales duos. Quo enim modo duo canales, in quos aqua diducta erit, bibent, eo sane saepe bibent tres. Si singulos irrigabis eos, ne *nimis* multum aquae in canalem immittas. Et attendatur, ne *nimis* multae arundines, cum ager obseritur, e canaliculis eximantur, sed solum alvei canalis tantummodo. Quae vero sunt in canalis lateribus, foras flectantur, et efficiatur, ut paulum luti eas capiat, et pedibus diligenter temperetur, ne calami arundinum conterantur. Et si aqua placida erit, caveant, ne herbulas evellant in diductione magnumque canalem cottidie perlustrent usque ad rotam aquariam. Fortasse locus aliquis aquam percolat aut hèrba aquae impedimento est vel locus aliquis paulo stramenti indiget sive paulo fimi vel in locum aliquem aqua abundantem corbis humi afferenda est vel alia res utilis nobis facienda. Praefectus colonorum irrigationem cottidie inspiciat * oportet et ad locum alium irrigatu difficilem constituat * p. 153. alterum cum irrigatore hominem, ne aqua vim suam perdat, dum locus *ille accessu* difficilis bibat. Et agri cultura rursus unive[rsa

77. De vita monachorum. XXIV.

]neque sunt instar eius, qui habitat solus. Et quo pacto ii, qui his in communitatibus versantur, nisi haec observaverint, in his eisdem malis non erunt? Alius quidem nihil habet, alius autem abundat; alius esuriens est, alius satur [1]; alius defatigatus, alius integer; alius gemit, alius gaudet. Maxime exsecratus est(o) is, qui appellatur pater, et ea, quae vocatur mater, si unquam soli in his communitatibus se dabunt quieti! Et exsecratus est(o) frater et soror, si unquam soli in his communitatibus capient quietem! En vir vere inimicus› femina inimica, qui : «In his aedibus, inquiunt, omni tempore dominabimur», si clam contubernalibus suis aliquid comedunt, sive aegroti sunt sive salvi, quemadmodum saepenumero diximus. Inde a die primo *mensis* payni usque ad diem primum *mensis* thout tempus comedendi intra eos, i. e. hosce tres menses, ante tempus comedendi cottidie semper est dimidia circiter hora vel hora integra, quoniam magni sunt et difficiles pro debilitate infirmorum, et non pro fortitudine fortium neque pro necessitate poenis affectorum, qui unam aquae guttam appetunt [2]. Et qui quocumque tempore edent vel
* p. 154. bibent furtim * in his communitatibus post omnia haec praecepta, quemadmodum saepenumero et multis in locis, qui nobis scripti sunt, diximus, exsecrati et non exsecrati sunt(o) et maxime exsecrati sunt(o) et non maxime exsecrati sunt(o) Deo et hominibus, qui quid dicam intellegunt. An est alia res vel alia lex vel alia forma vel alia occupatio vel aliud praeceptum, in quibus homo maiore cum libertate vivet quam in iis, quae nobis in his communitatibus statuta sunt? Aut quid porro est, quod nobis ut monachis desit, ut aliquis vel aliqua hanc in nobis turpitudinem i. e. furtum committat, dum Deus eos exsecretur, sicut etiam exsecrati sunt, seu mas est seu femina? Iustitia est, quae in his est commun itatibus, ne forte huius loco nefas in eis fiat. Non dicemus, quomodo quondam admodum abundaverit; verum nunc quoque stillat et eos, qui se sive mas sive femina inebriarunt eo, confundit [3], ita ut res occulta non sit. Si fallit vel fallet eos *ratio*, quas mensuras senes et anus, pueri et puellae ferre possint, quantum peccabunt in eis, quae opinantur plus gravare! Nisi enim homo esset, qui onera gravia alligaret imponeret*que* in humeros

[1] I *Cor.*, XI, 21. — [2] Luc., XVI, 24. — [3] Lege ⲥⲥⲣⲟⲩⲣⲩ vel ⲛⲥⲥⲣⲟⲩⲣⲩ.

hominum ne*que* tamen ullum ex oneribus tangeret uno digitorum suorum [1], Dominus non esset.

Quod autem ad aegrotos attinet vel eos, qui aliquam rem petent, cum : «Aegrotamus» inquient, ne ab eis, quae nobis praesto sunt, retrudantur aut etiam praeter tempus comedendi, atque etiamsi ieiunium vel quadragesima sit aut etiamsi * nox sit. Ipsi se perspi- *p. 155. ciunt; ratio eis reddenda est! Nos enim homines sumus neque scimus, quomodo intus homo se habeat. Singuli se perspiciunt et singulae; Deo enim reddent rationem. Suum cuiusque damnum et gloria erit, sive mas *est* sive femina. Vidim[us enim a]liquem, cui dedimus bibere de eo, quod petierat; paenituit nos, quod cito obiit, cum eum opinaremur haud graviter aegrotare. Et vidimus aliquem, cui id, quod petebat, dandum non indulsimus; animo acquievimus. Iustitiam enim his in sedibus exercere, ut praemium fidei quoddam, quemadmodum scriptum est [2], accipiamus, nobis praestat quam inferre iniuriam, ut mercedem accipiamus improborum, quae in omni aerumna commisimus. Si ego me ipsum saepenumero exsecror loco eorum, qui his in sedibus exsecratione digni sunt, et si decerno cibum ab eis non sumere nec vestimentum, quod ipsorum est, induere, nonne res in aperto est probri multitudinem et doloris esse, quae ad hoc faciendum me moveat? Et quo pacto non a iudicio ac sanguine maris vel feminae integer ero? Dicetur porro eos aliquid etiam furtive in his communitatibus abstulisse, maxime de parte sociorum suorum, dum Iesus super eos, qui haec quandoque his in communitatibus perpetrabunt sive perpetrant, iram suam effunderet.

Sin autem quocumque tempore, mane et vespere et nocte diei dominici, ad contionem *sacram* agendam accedent, dum proximus homo etiam recitabit, is, qui ad recitandum secundum eum statutus est, in ultima parte, qua proximus recitationem absolvet, * prope *p. 156. ad cathedram consistet, ut paratus promptusque sit. Cum ille descenderit, hic postquam precati erunt cito ascendat, ne res, sicuti fieri solet, retardetur. Et hoc quoque modo in vico facient; opera enim Dei decet facere sine socordia, ne ii, qui attendunt, nobis stomachentur, quoniam homo pius non manet solus.

Mas vel femina si quando in nobis surgere omittentes invenientur neque eos pudebit fratrum vere sibi temperantium et laborantium,

[1] Matth., xxiii, 4; Luc., xi, 46 (Lege ⲉⲧϫⲟⲣϣ). — [2] Cf. *Act.*, xx, 35.

postquam admoniti erunt et corpus sibi, ne pereant, subigere gravabuntur, non solum duobus illis sabbatis, quae tum congregati agere solemus, verum omni tempore omnique die a patribus harum communitatum ad comedendum ire prohibebuntur poteritque per vim in eos animadverti. Quid illi sunt ad leges vere fidelibus latas? An non aliud muli sunt, aliud homines Dei verentes? Aut quis est, quin attendat, qua ratione comedat, ac ne opera in ipso plura sint quam in loco deserto? Aut non *iuste* irascitur homo, qui [eos, qui] ei se commis[erunt], vult salvos esse, si eos videt mori propter ventrem suum, videt autem eos, quibus quietem dari vere opus est, laborare non solum pro viribus suis, verum supra vires? Nisi ob Iesu amorem haec dicerem, quid esset mea sollicitudo? Aut quid mea interest, quomodo homines comedant? Modo exsecrati sunt(o) ii, qui ullo tempore haec verba proferent : « Is, qui manducat, non manducan-
* p. 157. tem * ne spernat et is, qui non manducat, manducantem ne iudicet »[1]! Hic enim litteras *sacras* non probe intellegit[2]. Nolite eis male uti! Timete earum iudicium!

Mas vel femina harum communitatum, si pro sua dementia et pro suo fastu ad aliquam rem, quam secundum leges nobis sanctas tradiderint, requirendam se convertent, violatores omni tempore appellabuntur atque proditores.

Si quis nostrum mas vel femina apud animum suum tenebricosum et cum fronte inverecunda dicet : « Meas attuli res, ut me aleretis », ii eicientur. Vani sunt usque ad vestimentum, quod gestant, iuste dilacerendum, ut defectio eorum omnis offensionis plena significetur. Exsecrati sunt enim pro sua impietate. Nisi magna esset haec improbitas, Deus Caino non male dicturus neque morte Ananiam et Sapphiram eius uxorem multaturus erat. Profecto ii, qui his semper sedibus praesunt, si curam ei, qui aliquid in has communitates ingressus attulit, impendent maiorem quam ei, qui intravit omnium *rerum* inops, erunt exsecrati, quoniam *nocentem* hanc herbam cum crescere his in sedibus coepisse vidissent, non evellerunt, sed potius plantaverunt et irrigaverunt cum simulatione, quoad abundavit cum ipsorum damnatione, et praeterea mas vel femina, quos hic morbus *aut* incesserat et *tamen* in his sedibus habitantes ad se receperunt aut etiam invaserat, postquam ad eos intraverunt.

Neque mares neque feminae habitabunt soli secundum ea, quae

[1] *Rom.*, xiv, 3. — [2] Lege ⲡⲉⲧⲛⲟⲓ.

universis nobis scripta sunt, sive claudi sive caeci sive ulli omnino homines.

Mas vel femina si quando ascendent, morbis tentati, in hasce * * p. 158.
communitates propter necessitatem sive dormiendi sive edendi sive aliquid accipiendi, etsi morati *diutius* erunt, ibi somnum capient et quid eis opus sit inquiretur [1] omnibus fratribus aegritudinem eorum videntibus et necessitatem, in qua sunt, et afflictionem scientibus. Aut quo nisi illuc devertentur?

Nemo unquam his in communitatibus circuitum oris radet sine *permissu* sui praesidis ac sine *voluntate* eorum, qui cum eo [2] constituti sunt. Neque in cuiusquam manu novacula relinquetur, neque quisquam eos ipsos radet, quin sciat, quo modo eos raserit. Verum si necessitas obvenerit, scite radentur. Sane si dixerunt : « Peccata nostra nobis condonabuntur, si*ve* radentur si*ve* non radentur », male eos rasimus.

Si quando fit, ut fratres aliquo eant usque ad......., in unum collecti progredientur. Et si paulum e conventu excesserint, inter se exspectabunt, dum omnes colligantur. Posthac ad eum locum, quo tendent, ire pergent. Qui vires habet, ne is *ita* procedat, ut eum, qui vires non habet, relinquat. Neve quisquam in via moretur (?) totam multitudinem per suam neglegentiam retardans. Qui quidem primi ibunt, iis curae sit de iis, qui ultimi vadent; et qui ultimi erunt, eis curae sit de primis, omnibus operam dantibus, ut pariter progrediantur. Profecto, quae est hominum nostri generis prudentia, ut ei qui primi eunt eo, quo tendent, perveniant, et [3] tandem aliquanto post ii, qui ab eis remoti sunt, alii ab aliis seiuncti adveniant?

* Porro autem, si quando fratres harum communitatum per loca * p. 159.
operandi dispertiti erunt sive metentes calamum sive alia facientes opera, nemo praecurrat, ut socios suos relinquat hominum ritu carnalium vel more eorum, qui aliis partibus eorum similes sunt, cum iactantia certantes. Verum qui opera duorum, ne dicam quinque *hominum,* poterit facere, ad singula opera animum advertet, ut vere Dei causa laboret. Nec rursus quisquam ita pigrabitur (?); sed suas quisque vires exseret, cum sciet *id,* quod facturus sit, esse id ipsum, quod inventurus sit [4]. Apud homines enim ut ratio est eius, qui fecit,

[1] Legendum esse videtur ⲉⲩⲉϣⲓⲛⲉ. — [2] Lege ⲛⲙⲙⲁϥ. — [3] Interpretatio alterius partis huius sententiae dubia est. — [4] Lege ⲡⲉⲧϥ(ⲛⲁ)ϭⲛⲧϥ.

ita est ratio eius, qui non fecit; apud Iesum vero secundum opera sua accipiunt, non modo opus carnale, sed etiam spiritale.

Qui quandocumque aliquid in his communitatibus viderit, is secundum praeceptum nobis propositum id nulli omnino homini dicet nisi hominibus domesticis[1], maxime autem eis, qui his semper sedibus praesunt, ne ulla inter fratres oriatur perturbatio. Et ne ipsi quidem rursus patres domorum eos, qui his semper communitatibus praesunt, quicquam cela(bu)nt. Idemque in vico fiet. Cum matres, * p. 160. quae illo loco * eis praesunt, veritatem aliquarum rerum certo resciverint, eas scribent eisque mittent, ut videant, quid opporteat facere. Sin autem id, quod placet Deo, omiserint, sanguis eorum in caput eorum recidet et condemnatio eorum super praesides domuum et eos, qui cum ipsis constituti sunt, et omnes, qui Deo rationem reddent pro omnibus animabus, quae eis omni tempore his in sedibus commissae sunt, sive marium sive feminarum[2].

Pueri vel adulescentes his in communitatibus neminem curabunt, si eum, qui eis praeest, non consuluerint et *hic* non constituerit aut potius constituerit. In rem porro inquiret simul cum eis, qui ei *attributi* sunt, et praefectis domus et hominibus quoque *natu* maioribus secundum ea, quae in his communitatibus nobis in perpetuum *praes*cripta sunt.

Medici, *qui* inter nos *sunt*, homines foris non curabunt, non modo mercede eorum, verum etiam ne gratis quidem, *nisi* forte casus quis obvenerit *aut* incommodum in aliquos qui loco in ostiario sunt ingruerit eosque adduxerint, ut pro viribus sibi consulant, dum abeant sive discedant. Iam vero qui feminam foris curabit vel membra * p. 161. verenda * maris in communitatum circuitu aut etiam alibi curabit, is exsecratus erit. En medici passim tota in terra sunt. Nolite caedere animas vestras sicut *quidam* alii, qui per audaciam suam perierunt. Sicut apud nos est, etiam apud eas, quae in vico sunt, erit. Femina medica his in communitatibus numquam rursus hunc in modum faciet. Sin autem accidit, ut medicus, *qui* inter nos *est*, aegra quorundam in his sedibus membra curet aut etiam magna necessitas obveniat, ut medici *quidam* nostri illuc se conferant vel etiam medici externi, eum, qui inter nos aegrota(bi)t, inspicere poterunt et ibi videbunt, quid fieri oporteat[3] et quid facere deceat secundum ea, quae nobis

[1] Vel : nisi domus praesidibus. — [2] Vel : sive mares sive feminas. — [3] Vel : et ibi videbunt eum, qui aegrotare (ϣωνε) reputatur.

*prae*scripta sunt, neque infra decem vel viginti vel triginta testes minuentur, ut utilitati provideant et saluti animarum eorum, qui quoque tempore intra has sedes versantur, in his huiusmodi et similibus rebus.

Quod autem ad eos, qui in vico moriuntur, attinet, nemo, si ad sepeliendos eos exituri sunt, corpus solus portabit, nedum id complexu suo [1] teneat, *quae est* res inhumanitatis, verum feretrum ad corpus mortuum afferent hominesque grandes a capite *id* et a pedibus portabunt neque *tamen* sibi imponent. Porro autem si cum eo, qui e nobis mortuus erit, procedent, nulli ex eis, qui feretrum inter nos portabunt, inter se appropinquent e lege nobis conscripta. Sin autem inter se *per vices* successuri sunt, is qui attollit, cervices suas exseret et is, qui portaturus est, suas per vices [2] (?) * inseret, *p. 162, donec ad eum locum, quo sepelient eum, perveniant. Neque vero commutatio *nimis* multiplicetur, cum hic suas *cervices* exseret *et* ille suas inseret et cum hic exibit et ille suas inseret, sed modo iusto. Nolite praeter modum tardare ei, qui portat, requiem concedere. Neve rursus hac in re tota praeter modum....... Neque tamen ulli e nobis morentur neve graventur ne hunc quidem coniunctim suscipere laborem secundum ea, quae nobis *prae*scripta sunt, omnia.

De extremis vestimentorum vestrorum marginibus [3] dixi : «Nolite amylo eos solidare(?) [4] neque vobis molestiam exhibere», quoniam id non cognovistis haud decorum esse brachia vestra nudare usque ad lacertos. Quare nemo e nobis margines vestimentorum suorum amylo solidet sive succingat in humeros reiectos decentiae causa, verum praeter necessitatem — si in luto aut etiam alia re operantur — margines eorum brachia usque ad cubitos contegant. Sin autem unius digiti vel duorum *longitudine* amplius contegunt diminuti paulo vel potius aucti — propter mensuram vestimenti paupertatis, cuius pretium magnum non sit, tantummodo dedecet — cubitos belle contegunt.

Nulli unquam sive mas sive femina, * quemadmodum saepenumero *p. 163. diximus, in has communitates, ut monachi fiant, venient, quin id, quod eis est, dimiserint atque fidem ante altare dederint accurate secundum id exemplum, quod fratres usurpaverunt sive recitaverunt pacti vicem sancto in loco in conspectu Dei ore suo profitentes.

[1] Lege ⲡⲉϥⲁⲗⲟⲩ (Crum). — [2] Vel : interdum. — [3] Vel : manicis (?). — [4] Vel : Nolite eos sursum subducere *sive* reicere.

Nemo, qui unquam in has communitates, ut monachus fiat, introibit, dicet : « Quod opus domi meae subibam, id hoc loco subibo sive faciam hoc loco », nisi iussus fuerit. Cuius quisque operis causa huc venerit, *sacrae* litterae et volumina nobis scripta nos docent. Si vero aliquis vel aliqui aliud opus obire nolent nisi artem suam, quam domi suae exercebant *et* quam callent, ita iis dicatur : « Si ad artem aliquam exercendam in hunc locum venistis ac non ad salutem vestram efficiendam : ecce ars ad eum locum *pertinet,* unde venistis ». Porro hoc quoque audiant : « Si opus *aliud* non subibis, nisi quod domi didiceris, quisnam tibi credet opera tua te relicturum esse saecularia, contumaciam, scortationem aliaque vitia omnia, ac *monenti* te obsecuturum et sanctitati vacaturum omniaque bona, quae tibi praecipientur, facturum? Quilibet enim non ad suum ipsius arbitrium sequendum huc venit, sed ad suscipiendam voluntatem
* p. 164. Dei ». Eadem res est inter nos quorundam, * qui postquam intraverunt artibus instituti sunt; eademque res est eorum, qui in *aliam* ex *alia* domum sive in *alium* ex *alio* locum transferentur. Neque enim quisquam in has introivit communitates ob domum vel ob locum vel ob occupationem, verum omnes, ut paenitentiam peccatorum nostrorum ageremus, venimus vel etiam si qui introierunt peccatis carentes, ut peccati vitandi causa contenderent. Si qui *eiusmodi* sunt, utinam ne Deo fiant abominandi vel reddant se ipsi abominandos suo in loco sancto! Hoc enim cum verbo hic ille hisce annis manus omnibus nobis congregatis ad caelum tetendit, cum diceret : « Testis mihi est(o) Deus, hic morbus quo pacto sit in membris corporis mei! » Quis est, qui eum possit in eis cognoscere vel vigorem membrorum eius perspicere, ut doceatur et credat? Deus autem eum cognitum habet.

Si is, qui quoque tempore his communitatibus praeest, aliquem hominem amore eius vel etiam odio commotus in *alium* de alio locum aut in *aliud* ex alio officium transfert, id culpae ei est; verum omnia ex voluntate Dei et salute animarum eorum *fiant.* Hoc praeceptum pertinet ad eos, qui e loco in *alium* locum vel ex officio in *aliud* officium transferuntur ob debilitatem suam ac non ob firmitatem. Opus eius explorabitur, num voluntas hominis vana sit sicut etiam eius consilium secundum *sacras* litteras [1].

* p. 165. Omnes res utensiliaque omnia, quibus opus erit eis, * qui inter

[1] *Ps.* xciii, 11.

nos quandocumque in officio aliquo occupabuntur — non excipiuntur filum aut lorum aut paxillus ceteraque his similia — a praeposito domus eius, in qua opere occupati versa(bu)ntur, exigentur.

Si quis ab eis, qui in officio occupantur, aliquam rem invenietur rogare sumendam aut construendam, poena plectetur *ipse* et is, qui ex operantibus eam ei construxit vel fecit, priusquam consuluerint ad data nobis, ut omni in re ita consulamus, praecepta, cum animam suam ipsi destruant ac non aedificent[1] neque ei *rei*, cuius causa huc venerunt, curam adhibeant. Nam si eis, qui eorum salutem a Deo quaerunt pariter ac suam ipsorum quaerunt, vere confiderent, ei, quod eis praecipiunt, acquiescerent. Inde a maioribus patrum nostrorum et a principio temporis usque adhuc omnis utilitas et omne commodum omnisque firmitas sunt consultationes secundum *sacras* litteras[2].

Omnes homines ordinati, si quando has in communitates, ut monachi fiant, intrabunt, sive presbyteri sive diaconi, more fratrum omnium se subicient praesidibus eius domus, cui attributi erunt, oboedientes omnibus in rebus, quas eis praecipient. Quod vero attinet ad tempus sacrificii offerendi, res in aperto est eos ab eo momento incohaturos esse, quod harum communitatum semper pater ad sacrificium offerendum statuerit. Neque quicquam sine eius *voluntate* facient, * ne aegroti quidem. Neque tamen ipse molestiam * p. 166 eius, qui in labore suo vexatus est, obliviscetur, verum omnes res examinabit; nam sicut opus est aliis rebus curam impendere propter hominis debilitatem, *ita* opus est etiam huic eum rei curam adhibere, maxime autem, quod inimicus homini continenti insidiatur sciens se, si fraude et machinatione et mendaciis ad edendum vel bibendum pellexerit, non modo eum victurum, sed interfecturum esse non ob cibum solum, verum ob errorem animi.

Omnes sive mares sive feminae homines, qui quoque tempore in has communitates, ut monachi fiant, introibunt, vestimentum vel tegumentum vel paenulam vel aliud omnino ex suis propriis non induent, quae foris gerant, ut una quaedam paritas sit in rebus omnibus ac ne cupiditas hominum *animos* stultorum intret ob pulchrum indumentum aut etiam tegumentum vel paenulam vel omnes huiusmodi res, ne quisquam de[3] ullis rebus dicat : «Meae

[1] Cf. *Ps.* XXVII, 5. — [2] Cf. *Prov.*, III, 21 et sqq.; XI, 14; XII, 15; XIII, 16; XV, 22; XIX, 20; *Eccli.*, XXII, 19; XXXII, 24. — [3] Vel : ullas res dicat esse suas.

sunt ». Quicumque apud nos sive mares sive feminae perdurabunt, ipsorum erunt omnes res, quae nobis sunt coniunctis. Qui unquam constantiam deserent, ita ut e nobis discedant aut propter opera, quae in nobis commiserint, prava expellantur, nihil ex eis abhinc habe(bu)nt, eo ut misericordiam consequantur.

Omnis harum communitatum semper pater, qui rationis compos
* p. 167. est, ne simulatione et vana * gloria corrumpatur per orationes adulatorum fallacium, qui inter nos sunt vel erunt, hominem sibi providebit Dei verentem *et* qui linguam suam possit frenare, *ita* ut nemini ex omnibus, quae cum eo communicabit, ullum verbum prodat, ut ea notet sibique custodiat, ne perturbatio oriatur in fratribus res suas destruentibus. Quem si quam rem *cuiquam* patefecisse reppererit, etiam patri suo vel fratri vel amico vel praesidi domus vel secundo *ab ipso praefecto*, ab officio amovebit aliumque sibi providebit. Si scribendi peritus *ipse* erit vel secundus ab eo congregationis *praefectus et* omnes res omniaque dicta, quae apud eos incident, scribere poterit, ipsi utilitati prospicient. Si vero hoc faciendi prae curis nostri coetus copia non est, conducit Deoque placet, ut alius quidam hoc faciat. Suo quisque officio *intendat,* sicuti patres nostri apostoli ab initio fecerunt sive prophetae sive reges. Qui gubernant per se soli, sunt etiam ei, qui scribunt per se soli aliique deinceps omnes

Reliqua desunt. Florilegium tamen sinuthianum (cod. B) *hoc fragmentum servavit :*

Eiusdem.

Qui quoque tempore his communitatibus praeest, si omnibus rebus sive corporis iusta mensura sive spiritus curas suas impendet instar patris, Dei favorem consequetur. Si curas suas impenderet instar dominatoris, praemium non haberet ; ipsius enim res est. Aegre effugiet iudicium eo die, quo huius rei i. e. principatus rationem reddet.

* p. 168. 78. * De vita monachorum. XXV.

]hi ipsi, qui coetum nostrum, qui rectus est, diligunt, cum illis loquentur.

Nemo in cellis, dum cubat, *ullum* prorsus verbum proferet.

Nemo tempore lectionis operabitur nisi *urgente* necessitate.

Nemo meridie in cella cubabit, nisi prius velum (?) remotum

lumenque in cellam *infusum* erit. Rursus ecce hanc quoque parvam curam, quae minima est, vobis trado eius memoriam, si eam accipietis.

Nemo manum alterius omnino sive hominis grandis sive parvi apprehendet. Cubiti *spatium* inter vos relinquite, sive sedebitis sive stabitis sive ibitis.

Nemo puer quemquam curabit, ne senem quidem.

Pueri non ludent.

Nemo in [cellam(?)] introibit, ut puerum invisat aegrotantem.

Nemo pueri ventrem attrectet vel tergum vel caput, ut videat, utrum haec calida an frigida sint, vel aliud eorum membrum.

Nemo puerum oleo unguet. Dominus * omnem exsecrabitur p. 169.
senem, qui cum infante ludet sive iocabitur.

Qui alterius manum vel tergum ioco percutiet[1], eum Iesus exsecrabitur.

Exsecratus est(o), qui alterum subdole mordebit (?) [2].

Exsecratus est(o), qui in ventrem incumbet, ut nugas (?) turpes agat !

Exsecratus est(o), qui suis ipsius manibus se tanget, ut res faciat pravas !

Exsecratus est(o), qui alterum tanget vel accedet ad eum locis sedendi et locis cubandi, ut attrectet eum vel mulceat cum desiderio turpi !

Exsecratus est(o), qui sodales suos osculabitur vel puerum cum passione desiderii [3][

79. De vita monachorum. XXVI.

[pueros supra [. . .]. sua (?), ut aliquem eorum locum [tan]gat, ut doceat eos. . . . . sine senis *voluntate*.

Exsecrata est(o) inter nos femina, quae manibus suis sodalis tergum vel aliam aliquam partem per ludicrum et affectum inanem percutiet !

Exsecrata est(o) inter nos femina, quae ad puellas accedet, ut eas unguat et cum * [libidine] cooperiat aut . .[. . .]. . cum passione * p. 170.
desiderii [4] et cum ludibrio et ioco et voluptate inani [5].

[1] Dubito an aliquid interciderit : qui manu sua alterius... vel tergum ioco percutiet. — [2] Vel : punget ; ⲗⲱⲡⲥ = ⲗⲱⲕⲥ (?). — [3] I *Thess.*, IV, 5. — [4] Ibid. — [5] *Col.*, II, 8.

Exsecratus est(o), qui inter nos clam prava facit, cum : «Me, inquit, non cognoverunt[1], quae faciam ego». Et sive mas erit sive femina erit, hae exsecrationes in eorum capita recident universae. Ac totus dolor, qui die ac nocte de pollutione et hac quoque re, quod est furtum, in animo meo est, in quemlibet recidet, qui inter nos clam peccat vel peccabit sive mas sive femina. Et cunctae sollicitudines Dei Iesuque atque omnium eius angelorum universorumque eius sanctorum recident in quemvis, qui inter nos peccat vel peccabit apud nos vel apud vos ipsas. Et tota Dei Iesuque gaudia atque omnium eius angelorum universorumque eius sanctorum delabentur in quemlibet, qui voluntatem Dei exsequitur apud nos et apud vosmet ipsas.

Omnia haec verba qui [super]biens impu[gn]abit, eum Dominus manu indignatus et iratus deprimet, dum eum pessumdet ex omnibusque Domini communitatibus evellat, quoniam in verba ipsius animum non intendit ac legem perrupit.

Qui pollutiones clam inter nos committit vel qui committet et ad [sanctum] Dei altare accedet [.......], exsecratus erit.

* p. [illegible]1. * Qui clam apud nos vel apud vos ipsas peccabit nec id, quod fecerit, indicabit vel aufugiet atque e Dei communitatibus excedet, exsecratus erit omnesque in eum recident hae exsecrationes, sive mas erit sive femina.

[Qui] autem e nobis tangent [apud] nos vel ap[ud] vos ipsas pueros vel puellas sive dormientes sive vigilantes et eos *quidem* tangent, ut sciant, num maturuerint, erunt exsecrati, sive mas erit sive femina.

Qui vero pilos, qui crescunt in axillis, evellet vel, sine senis apud nos aut anus apud vos ipsas *voluntate*, aliquem locum corporis sui membrorum, nisi forte capitis solius, clam radet vel qui circuitum oris amplius extendet — et in hoc quidem non male eos radat, si potest, *sed* eos prorsus non radere neque bonum est neque malum — et praeter haec qui sine senis apud nos vel sine anus apud vos ipsas *voluntate* aliquo sui loco....... radet, exsecrati erunt, sive mas est sive femina. Si vero necessitas aliqua obvenerit, ut partes quaedam aegrotantes radantur, senex ante consuletur apud [nos vel etiam] anus [consuletur] apud vosmet [ips]as.

Qui autem inter nos in re aliqua mala mentietur vel peiurabit in aliqua re vana, is exsecratus erit, sive mas est sive femina.

[1] Lege ϫⲉⲙⲡⲟⲩⲉⲓⲙⲉ.

* Qui autem animos hominum in eos, qui praecepta eis tradunt in * p. 172. nobis, corrumpet vel animos hominum in nobis corrumpet, ut avertantur ab ea re, quae prae[scribitur] e[is .

80. De vita monachorum. XXVII.

Sinuthii.

Ex annis cogito apud me, ne quis ullum in modum quicquam habeat dicere. Scio enim veritatem [1] homini non obventuram esse nisi mensurâ iustâ, maxime multitudini *hominum,* cum desit, qui eos aequaliter regat. Navis instar erunt rimarum plenae, cuius navigationi non poteris fidere a litore ad litus maris, ne dicam pelagi eius. Quidam ob corporis necessitates mentiuntur, alii ob has easdem rursus causas murmurant. Quidam furari volunt vel etiam furantur; alii incusant partim cum fallaciis, partim cum animo alieno. Quidam aliquam rem sibi solis volunt, alii cupiunt quietem sibi solis capere sive aegrotant sive bene valent, quoniam hoc multis hominibus contingit, qui, licet dicant se una convictu uti, in errore versantur. Numquam homines, qui convictu vere utuntur, quietem soli capient sociatosque sibi convictu relinquent. Perfectus convictus hac pari aequabilitate conficitur. Et vae eis, qui quoque tempore in his sedibus habitant, si aliis partium studii utuntur modis ! Quapropter decerno, ut hae tres semper maneant res in his sedibus respectu eorum, qui inter nos aegrotant : piscium ius *et* caseus, * qualis * p. 173. desideratur sive viridis sive siccus sive salsus, et ovum sive salsum sive appositum, si volunt, oleri cocto aut tale, quale cupiunt. Tantummodo nemo nostrum sive mas sive femina eius modi rem unquam comedet praeter vere aegrotos, postquam a cunctis fratribus fidelibus recogniti erunt, maxime vero ab harum sedum semper patribus, qui quidem de iis, qui ibi congregati sunt, rationem Deo reddent. Nemo usquam huiusmodi rem manducabit nisi in loco ipsorum hominum aegrotantium. Sicuti haustum vini consueverunt quaerere, etiam haece quaerent. Et erunt etiam in loco ministerii, ut is, qui quoque tempore his sedibus praeest sive praeerit, iis usum eorum praebeat, posteaquam condicio hominis eiusque morbi semper recognita erit a tribus aut decem hominibus nostris, qui testes sunt eorum, qui ad hos usus descenderint. Ita ea concedent eis mensura iusta eum

[1] Vel : iustitiam.

veriti, in cuius manus nos omnes aliquando incidemus, cum nemo sive mas sive femina cogitare poterit pravitates (?) in his communitatibus u[llo tempore

81. De discrimine temporum.

Textus copticus.

Nomine Dei ! Oratio quaedam sancti patris nostri apa Sinuthii. Cuius benedictiones sacrae omniumque simul sanctorum benedictiones — amen ! — super nos cunctos deveniant, nos populumque universum, ut omnes vivamus nostraeque animae simul salvae fiant. Amen !

Duo illi, qui in deserta abibant.

* p. 174. * E Sinuthii oratione[1].

1. Bonum est navis ad navigandum solvendae tempus; bonum item est tempus in portum decurrendi, mergi vero malum est.

2. Hoc autem dico : « Bonum est tempus visendi templum Dei; bonum est ieiunium; bonum est tempus, quo a muliere tua te con-

---

Textus arabicus[2].

* p. 174. * Nomine Dei ! Ex oratione sancti magni*que* patris nostri abbatis Sinuthii. Benedictiones eius nobiscum sint — amen ! — et benedictiones sanctorum omnium — amen ! — manifestae fiant super nos, ut vivamus nos omnes et haec plebs nostraeque omnes simul animae salvae fiant. Amen ! Amen !

Oratio patris Sinuthii.

[1] Quam bonum est tempus, quo navis ad proficiscendum solvitur, et quam iucunda est hora, qua incolumis in portu ad ancoras consistit ! At submersio — haec mala est.

[2] Sententia autem orationis meae haec est : « Quam bonum est templum Dei adire et quam pulchrum est ieiunium et quam prae-

[1] Vel : Sinuthii oratio. — [2] Iuvat notare ad aliquot locos textus arabici satis corrupti M. Horten et E. Power, viros huius disciplinae peritissimos, aliqua conferre voluisse. His gratias debitas etiam hic agere iucundum habet interpres. — Attendat lector etiam ad emendationes ab I. Guidi p. 215 propositas.

tineas bonaque est omnis huiusmodi res necessaria; bonum est autem operari quoque in agro et comedere bonum est; item autem matrimonium bonum est omnesque res bonae sunt, quibus ad victum indigemus. Fornicatio vero mala est et incontinentia * et delectatio[1] * p. 175. rerum caducarum omniaque his similia. (Saeculares dico, qui matrimonio utuntur honesto et non monachos dico, qui crucem suam sustulerunt *et* salvatorem secuti sunt e mandato evangelii, cum angelorum lucis[2] adamaverint puritatem, ut ipsi quoque hoc modo cum angelis in regno patris sui coniungerentur) ».

3. Bonum est in montem excelsum ascendere omni tempore omnique die ob lucrum quorumdam bonorum. Item bonum est in verticem eius evadere per viae ambages propter ea, quae subter eum nobis opus sunt. Deferri vero te ex eo deorsum totumque conteri est malum.

4. Ita bonum est ad Deum *nos* accedere omni * die et omni hora * p. 176. et omni tempore implorantes eum, ut hoc in loco nunc a maligno nos defendat dignosque nos reddat loco quietis[3] in ea regione, in quam

---

clarum est tempus, quo vir a coniuge sua se continet, et probae sunt omnes res necessariae exactaeque, quam bonum est in agricultura occupari ! Quam pulchrum igitur est comedere quamque praeclarum matrimonium et omnia, quae invenimus nobis necessaria ! * At fornicatio mala est defectusque continentiae et fallacia * p. 175. rerum procreatarum et ipsis similia. Hac autem oratione mea designo saeculares casto matrimonio copulatos, non vero dico monachum aut illos, qui crucem suam iam sustulerunt et Dominum suum secuti sunt, ut dixit evangelium, et instar angelorum lucis puritatem adamaverunt, ut hoc modo cum angelis in regno patris sui caelestis consociarentur ».

[3] Quam bonum igitur est etiam ascendere in montem elatum omnibus temporibus cunctisque diebus ob bona comparanda et pacem et quam pulchrum ad eum pervenire per anfractus viarum ob id, quod in eo tribuitur ! At quam pravum est ex eo deorsum deferri ! Id enim te totum contundit.

[4] Hoc significat : Quam bonum est continenter *nos* omni tempore et tempestate ad Deum confugere, * cum ei supplicamus, ut hoc * p. 176. in loco nostro a maligno rebelli nunc nos custodiat dignosque reddat

[1] Vel : fallacia. — [2] II *Cor.*, XI, 14. — [3] Vel : reddat quiete.

migrabimus. Item bonae sunt res corporis, quibus curam impendamus ad rationem alimenti et vestitus atque etiam ad rationem hospitalitatis et ad rationem doni sive sacrificii nostri, quae Deo pro animis nostris offerantur. Labi vero de via et in peccato confringi malum est.

5. Bona est nox, qua nos apertum est requiescere. Praeclarus autem dies quoque, quia, cum sol ortus est, omnes bestiae campi congregantur et in cavernis suis decumbunt, homo autem ad opus suum exit et ad operationem suam usque ad tempus vespertinum [1].

* p. 177. 6. * Interpretemur autem vocem *illam* sic : Cum ortus esset sol iustitiae [2] i. e. cum Christus Iesus venisset in mundum [3], daemonia congregata sunt *et* in cavernis suis decubuerunt. Cavernae autem eorum sunt hominum animi impiorum [4]. Homo vero ad opus suum exiit et ad operationem suam usque ad tempus vespertinum i. e. *ad* cultum divinum omneque opus bonum usque ad senectutem suam sive quoad demigravit ad Iesum Christum.

* p. 178. 7. * Ne*que* una est ars neque unum est opus, quo occupantur in

---

loco requietis ea in regione, in quam migrabimus ! Et quam praeclarus est labor in rebus corporis et cura de eis ad rationem alimenti et vestitus et ad rationem caritatis et observantiae in peregrinos et ad rationem sacrificiorum et holocaustorum nostrorum, quae Deo pro animis nostris offerimus ! Labi vero de via et contundi in peccato malum est.

[5] Quam bona est nox benefica, quoniam in ea requiescimus ; at dies melior ac potior, quia, cum sol eius illuxit, omnes bestiae campi congregantur et in cavernis suis decumbunt, homo autem ad opus suum exit et operationem suam usque ad tempus vespertinum. [6] In-
* p. 177. terpretemur igitur orationem *illam* * *eius*que significationes sic : Cum ortus esset sol pietatis i. e. cum Iesus Christus venisset in mundum, congregati sunt diaboli et decubuerunt in cavernis suis — hi sunt animi impiorum — et homo ad opus suum exiit et operationem suam usque ad tempus vespertinum i. e. homo cultui Dei operique suo [5] bono et saluti tradidit se usque ad terminum senectutis suae et dum demigraret ad Iesum Christum.

[7] Ne*que* una est ars neque unum est opus, quo homines occu-

[1] Cf. *Ps.* CIII, 22 et sq. — [2] MAL., IV, 2. — [3] IOH., XI, 27 ; XII, 46. — [4] Cf. *Apoc.*, II, 13. — [5] Vel : eius.

operibus corporis, sed multiplex. Sic item non una est ars, qua occupantur in operibus spiritus, sed multae sunt.

8. Alii quidem virgines manent, alii *autem* lectum servant impollutum; et alii crucem suam tollunt Dominumque sequuntur[1], alii *autem* stipem largiuntur, quoad ipsis res, quae ad victum pertinent, et opes [2] praesto sunt; et alii precationi *se dedunt* et continentiae, alii *autem* omni rei bonae.

9. Si multi solent dormientes quosdam obiurgare, quod tempore convenienti non surrexerint, cum «Sol, inquiunt, ortus est, dum dormis», velutsi quae deceat rem dicant, magis nobismet ipsis convenit ita dicere : «Christus in mundum prodiit; peccamus nec nos paenitet, cum maxime tempus sit et hora de somno surgendi[3]. Profecto hoce non est tempus perpetrandi malum !»

10. * Aut quod est tempus, quo faciamus bonum ? Numquid est * p. 179.
id tempus, quo tenebrarum[4] in locis plorabimus de impuritate nostra ceterisque impedimentis nostris, quae operibus inferimus divinis ?

---

pantur in operibus corporis, sed multa sunt genera artium; sic etiam non una est ars, qua occupantur in operibus spiritus, sed multiplex est. [8] Quidam * virginitatem delegerunt, alii autem * p. 178.
lectus castimoniam, alii crucem suam tollunt Dominumque sequuntur, quidam autem caritate *utuntur,* quamdiu eis praesto sunt res his in terris et opes, et alii efferuntur ad precationem atque continentiam, alii autem ad omne opus suum salutare se applicant. [9] Si multi eos, qui dormiunt, quod temporibus surgendi non surrexerint, reprehendere solent, cum iis : «Sol, inquiunt, ortus est, dum dormitis» et quod dixerunt, id convenit, nosmet oportet sic dicere «Christus venit in mundum, et nos peccamus nec nos paenitet, cum maxime hoc sit tempus et hora, qua a tentatione somni excitemur. Hoc sane non est tempus, quo malum perpetremus».

[10] * Quod igitur est tempus, quo colamus virtutem ? An censes * p. 179.
eo tempore, quo ibi gememus et plorabimus, ubi sunt loca tenebrarum, de impuritatibus nostris et erratis, quae commisimus in vita

[1] Cf. Matth., x, 38; xvi, 24; Marc., viii, 34; Luc., ix, 23. — [2] Lege ⲁⲩⲱ ⲧⲙⲛⲧⲣⲙⲙⲁⲟ (Hyvernat). — [3] *Rom.*, xiii, 11. — [4] Cf. I *Reg.*, ii, 9; Matth., viii, 12; xxii, 13; xxv, 30; Ioh., viii, 12; xii, 35.

11. N*eque* extimuimus nec erubuimus de oratione eorum, qui de nobis iudicabunt, sicuti dictum est[1] : « Nulla in re damus ullam offensionem, ne quis despiciat ministerium nostrum ». Multi igitur nos nostraque ministeria despexerunt et ipsas condiciones nostras et habitus monachicos. Pro nihilo putata sunt et ludibrio facta iis, qui Christum oderunt.

12. Si ii, qui nocte dormiunt et inebriati sunt, obiurgationem subeunt, quam gravis erit sententia et obiurgatio eorum, qui dormiunt interdiu[2] ! Dico hoc : « Si ii, qui per mentis suae obcaecationem, cum nec Deum nec leges eius cognoverint, peccant, iudicio
* p. 180. subiciuntur, quam gravis* erit sententia et obiurgatio[3] eorum, qui peccabunt, postquam notitiam consecuti sunt universam nec alium praeter Iesum *cognoverunt* esse Deum ! »

13. Utinam igitur homines ne dormirent vel inebriati essent praeter eos, qui dormiunt noctu[4] ! Profecto multa orbem terrarum incolentibus obtingerent bona, ita ut terra fieret instar paradisi[5] ;

---

nostra religiosa [11] ob defectum reverentiae et exiguitatem metus[6] orationis, qua de nobis iudicabunt, sicuti dictum est : « Nulla in re ullam committimus temeritatem, ne quis ministerium nostrum dedignetur » ? Multi igitur iam nos dedignati sunt et contempserunt ministerium nostrum et ordinem et nomina nostra et paenulam nostram monachicam ac pro nihilo ea putaverunt, et facta sunt derisioni et ludibrio inimicis Christi. [12] Si iis, qui noctu ebrii sunt et dormiunt, vituperatio et castigatio infligitur, qui iudicii inevitabilis modus eveniet eis, qui dormiunt interdiu ! Sententia autem orationis meae est haec : « Si rebelles, quorum mentes, cum Deum eiusque leges ignorent, caecae sunt, sententiam irrevocabilem
* p. 180. in iudicio consequentur, qui iudicii et sententiae* ineluctabilis modus eveniet eis, qui peccabunt cognitionem adepti universam non esse Deum praeter Iesum ! »

[13] Utinam ne reperirentur, qui dormiant aut inebrientur, praeter dormientes et inebriatos noctu ! Profecto magna toti orbi terrarum obveniret felicitas et terra inveniretur instar paridisi,

[1] II *Cor.*, vi, 3. — [2] Cf. *Prov.*, vi, 9-11 ; xxiv, 33 et sq. — [3] Cf. *Hebr.*, x, 26-29 ; xii, 25-29 ; II Petr., ii, 20-22. — [4] I *Thess.*, v, 5-8. — [5] Cf. *Gen.*, ii, 8-14. — [6] Vel : pudoris (I. Guidi).

quandoquidem Dominus Deus omnipotens eum plantavit[1], idem mundum constituit. Verumtamen multi dormiunt et ebrii sunt interdiu !

14. Hoc pacto multa sunt mala, quae saepenumero in nos irruunt, et molestiae, quae nonnumquam nobis accidunt.

15. Nonne enim sunt, qui multas res bonas soleant agere per caliginem noctis velut ii, qui tunc precantur et Deum collaudant ? Rursus sunt, qui plurimas perpetrent impietates per lucem diurnam, ut ii, qui scortantur et iniuriam inferunt.

16. *Alias quidem diximus, quid sit somnus et quid sit nox vel * p. 181.
quid sit dies.

17. Sicut enim ii homines, qui in iudicia vocabuntur de maleficiis suis, alii quidem sua *maleficia* discent, antequam iis traditi erunt, et alii rursus sua *maleficia* discent, postquam poenae, quae eis obvenient, eaedem praesentatae erunt, ita est condicio(?) eorum, quorum peccata in terris patefiunt praecedentia eos ad iudicium[2] die miseriae suae, et eorum, quorum rursus *peccata* subsequuntur eos die suae inquisitionis. Quid vero est : « subsequuntur eos » ?

---

quem plantavit Dominus Deus omnium rerum praepotens a constitutione mundi. Sane qui interdiu dormiunt et inebriantur, ii crebri sunt ! [14] Propterea saepenumero labores in nos irruunt, cum molestiae nobis accidunt tempore procedente. [15] Nonne in hominibus invenitur, qui vires impendat per tenebras noctis ad virtutes exercendas velut ad precationem et praedicationem Dei ? At est in hominibus etiam, qui per lucem diurnam delicta committat ut adulterium et iniustitiam * et impietatem. [16] Et oratione supe- * p. 181.
riore vos iam docuimus, quid sit somnus et quid sit dies et quid sit nox.

[17] Sicut homines rei[3] *quidam sunt,* quorum accusatio actionum turpium ad iudices praecessit, et quidam sunt, quos de ipsorum peccatis iudices admonuerunt, postquam in iudicio ante eos constiterunt — eadem vero poena omnes condemnantur, ita est condicio eorum, quorum peccata et scelera his in terris patefacta sunt, ut malitia eorum facinorum eos ad iudicium praecedat ex die mortis, cum alii sint, quorum peccata eos subsequuntur in eorum morte,

[1] *Gen.*, II, 8-14. — [2] I *Tim.*, V, 24. — [3] Lege دعوة (M. Horten).

18. Paenitentiam age, o homo, qui Deum existimas tibi condonasse. Non condonavit : subsequuntur eos, inquiunt ea, quae te *p. 182. commisisse neminem scire opinaris [1]. Cuncta * ante te tum conferentur, quando iudicaberis. Et ea quoque, quae aliter se habent [2] in omni re fraudulenta, abscondi non poterunt eo die, quo Deus secreta hominum diiudicabit et revelabit abscondita tenebrarum [3].

19. Etenim secundum dictum prophetae [4] cani nobis progerminaverunt, nos vero ignoravimus, id est : magna commisimus maleficia, nihil *tamen* curamus, velut si peccata non sint, quamvis peccata in nobis haerere probe sciamus. Et quae clam perpetramus, licet Deo patefiant, ea non numeramus peccata neque ea nos maerere sentimus. Illa vero, quae nos perpetrasse sciunt homines vel in quibus nos *p. 183. deprehenderunt, ea numeramus peccata * et commisisse nos erubescimus. Haec est agendi ratio omnium simulatorum, ita ut totus eorum animi dolor in eo versetur, quod in facinoribus suis deprehensi vel hominibus patefacti sunt, at Iesum non timuerunt. Hoc

---

eadem autem punitio omnes corripiet cum severitate. Haec tantummodo sunt « peccata eos subsequentia ». [18] Paenitentiam age, o homo, qui in Dominum tuum contumax es et Deum existimas tibi condonare. *p. 182. Nequaquam ! Non condonabit, nisi * paenitentiam egeris. Peccata autem subsequentia ea sunt, quae te committere nullum hominum scire tu opinaris, et omnia tibi die iudicii et sententiae praepotentis Dei ostentabuntur omnesque fraudem diversis modis commolientes publicabuntur et palam fient eo die, quo Deus diiudicabit secreta hominum et revelabit abscondita tenebrarum.

[19] Secundum id, quod dixit propheta, canities in nobis exsistit, nos vero ignoramus; huius dicti interpretatio est : Multa committimus peccata, nos autem ea neglegimus, perinde quasi peccata non sint, re autem vera sunt *delicta* gravitate quae potest maxima. Et peccata, quae in occulto facimus, licet oculus Dei ea conspiciat, ea nos peccata non censemus neque ad ea detestanda consurgimus aut ab ipsis recedimus. Peccata autem ea, quae nos fecisse sciunt homines et in quibus nos deprehenderunt, illa censemus peccata et, cum ea *p. 183. commisimus, erubescimus. Haec autem est * agendi ratio omnium

[1] Vel : ea subsequentur eos, quae te... (ⲉⲩⲟⲩⲏϩ ⲛⲥⲱⲟⲩ ⲛϭⲓⲛⲉⲧⲉⲕⲙⲉⲉⲩⲉ (I. Leipoldt). — [2] I *Tim.*, v, 25. — [3] I *Cor.*, iv, 5. — [4] Osee, vii, 9.

igitur modo omnes homines fraudulenti se peccato delectant; deus[1] enim eorum est homo.

20. Quid igitur nunc cogitamus, cum peccati nostri nos non paenituerit? Aut in quo spem collocamus aut quem exspectamus, ut nobis iterum vaticinentur vel nobis nuntium afferant et pro nobis se tradant[2] vel nostra causa moriantur[3]?

21. Non iam veniet propheta aut apostolus ac filius Dei, ut homines doceant vel posthac sanguinem pro nobis profundant.

22. Oportet enim et necesse est omnes * hos sanctos regemque * p. 184.
eorum Iesum a nobis requirere opera laboris et sanguinis sui, num fructus plagis et conviciis, quae iis nostra causa facta sunt, dignos reddiderimus.

23. Propheta non solum de ea, quae multos peperit, dixit[4]: «Liberis orbata est et occidit ei sol medio adhuc die». Quid enim proficiemus, si hoc in synagogam solorum Iudaeorum vertimus, cum ipsi quondam Deum habuerint eiusque leges, nunc vero contra

---

simulatorum, quos dolor capit et tristitia eo, quod homines animos ad facinora eorum adverterunt et opera percrebuerunt, at Iesum non timuerunt. Hoc igitur pacto est, ut omnibus hominibus, quorum animi peccatis delectantur, deus non sit nisi homo[5]. [20] Quid igitur censemus *et* cogitamus, si contumaciarum et delictorum nos non paenituit? Aut in quo spem ponimus aut quem exspectamus? Quis e prophetis nobis iterum vaticinabitur aut aliquis ex eis postea nos admonebit aut aliquis pro nobis se tradet et nostra causa morietur? [21] Numquid alius propheta aut apostolus aut filius Dei veniet, ut homines doceant vel sanguinem posthac pro nobis profundant? [22] Absoluta prorsus necessitas est omnes sanctos ad societatem regis sui Iesu venire et dolores suos laboremque a nobis exigere * sanguinumque pro nobis effusionem et omnia, quae in eis
nostra causa faciunt, qui fructus nos tulimus, quibus mereamur * p. 184.
odium et contemptum. [23] Non autem solum eam, quae multos peperit pueros, narrat propheta liberis orbatam esse et solem ei occidisse medio die. Quodnam est emolumentum nostrum, si *id* referimus ad communitatem solorum Iudaeorum illorum, inter quos

[1] Cf. *Phil.*, III, 19. — [2] Cf. *Gal.*, II, 20; *Eph.*, V, 2, 25. — [3] Cf. I *Cor.*, I, 13. — [4] IER., XV, 9. — [5] Sive: homines.

athei evaserint, ita ut ne Deum patrem quidem habeant ? Etenim multi etiam inter eos erant, qui illo tempore voluntatem suam in Omnipotentem in omni *re* bona direxerant.

* p. 185. 24. Verum huiusmodi est etiam anima, quae virgo * aliquando erat et utilis et iusta, cum quod bonum erat faceret. Nunc vero contra multa impie commisit. Sol ei occidit medio etiam tum die, i. e. consilium sive intellegentia ab ea recessit sive ei se occultavit et spem *illa* abiecit in media tum etiam perpessione.

25. Sterilis peperit septem filios [1] i. e. ecclesia gentium facta est instar arenae maris et instar stellarum caeli per suum in Iesum amorem. Quae contra multos habebat filios, infirmata est [2], i. e. fide evasit infirma synagoga Iudaeorum, quae quidem multos aliquando habebat homines Dei *et* ex qua prophetae et apostoli prodierunt ac iudices et iusti, nunc autem contra desolata est.

26. Haec est, de qua dicitur [3] : « Relinquetur filia Sion ut umbra-
* p. 186. culum vineae * et sicut vigiliarium cucumerarii ». Eadem est, cui

---

Deus illo tempore consederat et in quorum manibus leges eius erant ? Ipsi vero eum negaverunt; iis enim cum filius Iesus non esset, ne Deus pater quidem erat. Multae res erant, in quibus suas tum ingrediebantur vias, noluerunt autem oboedientes Patri omnipotenti adduci in bonum [4], quod eis faciebat.

* p. 185. [24] Verum interpretatio sensus est * animam, quae aliquando virgo erat et proba *et* pia, cum virtutes coleret, tum in se postea sordidatam esse et impie egisse et occidisse ei solem medio die i. e. iudicium et scientiam et intellegentiam ei occidisse et ab ea recessisse, animam eius tabuisse et desperavisse, cum media in patientia sua esset. [25] Significatio autem sterilis illius, quae peperit septem filios, haec est : ecclesiam gentium evasisse instar arenae maris et stellarum caeli per suum in Iesum amorem, et *significatio* multis illius auctae liberis, quae infirmata est, haec : eam fide infirmam evasisse scilicet synagogam Iudaeorum illam, quae multum suo tempore habebat amorem Dei et ex qua prophetae et apostoli et iudices et iusti prodierunt, nunc vero iam exaruit.

* p. 186 [26] *Ipsa est, de qua dictum est : « Filia Sion fiet sicut vigiliarium vineae et umbraculum cucumerarii », et ipsa est, de qua *id* etiam

[1] Cf. I *Reg.*, II, 5. — [2] Ibid. — [3] Is., I, 8. — [4] Lege لِخَيْرٍ (Power).

dicitur [1] : « Matrem tuam assimilavi nocti ». Haec est, cui dicitur [2] : « Propter scelera vestra dimisi matrem vestram ». Haec est terra fructifera, quam convertit in salsuginem ob malitiam daemoniorum in ea habitantium [3].

27. Ita est etiam ea anima, quae aliquando fructibus carebat, nunc autem actionibus bonis abundavit. Quae vero aliquando opere bono abundabat, nunc tamen non solum operibus iustitiae infirmatur, verum etiam abominanda perpetrat et opera [4] quae perficiantur [5] indigna.

28. Quid dixit de Hierosolymis, quia se non purgaverant, ut eum sequerentur ? « Hierosolyma, inquit [6], convertam in exsilium et in habitaculum draconum. » Item dicet : « Animam, quae a peccatis suis non * recesserit, multis miseriis et angustiis demergam et sedem * p. 187.
faciam daemoniorum ».

29. « Verba et opera mirabilia, quae multi prophetae et reges et iusti voluerunt videre et audire, non audierunt nec viderunt », secundum id, quod Dominus dixit [7]. Ipsi vero postquam ea audivimus et probe cognovimus, omnia, quae fecit Dominus, despicimus.

---

dictum est : « Mater tua similis est caligini noctis », et de eadem dictum est : « Ob scelera vestra dimisi vobis matrem vestram », et ipsa quoque terra fructifera est, quae salsugo facta est propter malitias diabolorum in eis habitantium. [27] Et ea anima, quae aliquando sterilis erat, iam floruit operibus bonis, et quae operibus bonis aliquando florebat, non acquievit in remissione exercendae iustitiae, sed malitiis crevit agendis omniaque opera perfecit improba. [28] Et quod dictum est de Hierosolymis, quid est ? Cum se poluissent et domino suo restitissent, ita de iis dictum est : « Hierosolyma ego in captivitatem et exsilium agam et fient habitaculum draconum ». Significatio * huius dicti est : Animam peccatis inhae- * p. 187.
rentem, quam paenitere non vult, multis ego miseriis et angustiis demergam et sedes erit diabolorum.

[29] Crebra sunt verba et opera extraordinaria, quae multi prophetae et reges et iusti videre et audire voluerunt nec tamen viderunt nec audierunt, ut ait Dominus in evangelio. Nos vero ea pernovimus et probe distinximus, tum omnia, quae fecit Dominus noster,

[1] Osee, iv, 5 (LXX). — [2] Is., l, 1. — [3] Ps. cvi, 34. — [4] Lege ⲛϩⲉⲛϩⲃⲏⲟⲩⲉ. — [5] Lege ⲉϫⲟⲕⲟⲩ. — [6] Ier., ix, 11 (LXX). — [7] Luc., x, 24.

30. Num haec sunt verba vel opera, quae audiamus et peccare pergamus ac non dicamus eis : « Cur igitur haec non audivi vel intellexi ab infantia ? Templum Domini eiusque aedem me promisi non inquinaturum atque ab iniuria abhorrere didici ceterisque diaboli malitiis omnibus ».

* p. 188. 31. Dixi ego : « Homini, si corpus suum * et animum Dei gratia integrum conservaverit, vere omnia bona contingent ».

32. Quamobrem sive qua de causa ? Audi ! Si apicula res bonas operabitur eo in loco vel eo in vase, quod inveniet sibi dispositum, quo tandem pacto Christus eiusque spiritus non omnia bona efficiet in eo homine, quem omni integritate sibi praeparatum inveniat !

33. De operatione autem apis etiam iterum loquar. Si hoc animal pusillum sive haec volucris parva domicilium sibi scit aedificare, noli nunc quaerere : « Qua ratione Verbum caro factum est in utero virginis integrae Mariae ? » Ipse enim solus utpote Deus scit, qua ratione in ipsa homo factus sit. Omnia Domini opera comprehendere
* p. 189. non poterimus. Multi * enim multa maledicta protulerunt propter has huiusmodi perturbationes noxias et turbulentas.

---

despeximus. [30] Videsne verba et opera, quorum notitia ad nos pervenit ? Augent in nobis rebellionem, ita ut a peccato non recedamus terrore perculsi nec quisquam possit gloriari ac dicere : « Non vidi ea, at si ea pernovissem, ab infantia per me ipsum vovissem templum Dei aut aedem me non inquinaturum esse et didicissem iniuriam
* p. 188. evitare omnesque diaboli malitias ». [31] Dixi ego: « Homini, * quoad corpus suum animumque Dei causa custodiet purum, profecto omnia bona contingent ». [32] Quanam de causa et qua re ? Audi ! Si volucris apium parva in quolibet vase, quod invenit sibi dispositum, beneficium suum largitur, quanto magis Christus eiusque spiritus tantummodo bonum efficiet in homine eiusque animo, quem mandatis suis omni munditia et integritate inveniet dispositum !

[33] Aliam autem in ape efferemus facultatem. Si hoc animal in genere volucrum habitu pusillum scit sibi aedificare domicilium, quo pacto tu quaeris et dicis : « Quomodo Verbum in visceribus virginis integrae Dominae (?) Mariae incarnatum est ? » Ipse per se solus sciens est, quomodo in iis homo factus sit, cum ipse Deus sit rerum omnium praepotens; neque * nos opera Domini omnia, cum
* p. 189. perspicua sint, cognoscere possumus multique hominum propter confusionem blasphemiae gravi illapsi sunt. Corruit igitur vita

34. Tu fidelis esto[1] *et* purus! Et si ad eum accesseris, gloriam Dei videbis omnesque eius virtutes[2].

35. Sin autem mira(be)ris de omnibus rebus, quas in terris videbis, quantum mirabere ea, quae in caelis vide(bi)s[3]! Si vero de urbibus, operibus manuum hominum, miraris, quod excultae et simul cum eis, quae continent, speciosae sunt — si Hierosolyma[4] caelestia vide(bi)s eaque quae continent omnia et ornatum[5] eorum pulchritudinemque operum manus Dei[6], quantopere mirabere!

36. * Si quando dices vel si hoc tibi in mentem venerit: « Quid * p. 190. igitur faciam? Ego enim homo sum infirmus *et* corpore tardus — studerem non superari ab angelis[7] eius laudando eum et venerando omni tempore pro cunctis beneficiis eius » — una etiam eris cum eis apud Dominum ipsis assimilatus[8] et simul cum ipsis eum collaudans.

37. Ne*que* tarditas corporis ex illo tempore erit neque infirmitas, sicuti etiam peccatum aberit. Corpore enim surges *indutus* spiritali[9]. Ne*que* enim herbae inutiles posthac in terra erunt neque fermentum

---

eorum..... cum deciperentur et metu ac terrore occuparentur. [34] Tu esto fidelis, pius, purus! Et si ad eum accesseris, tu conspicies gloriam divinitatis eius multumque gratiae eius et benignitatis. [35] Si eas res, quas in terra conspicis, admiraris, quanto magis eas res admirabere, quas in caelis conspicies! Et si urbes manibus factas *et* exornatas omniaque quae continent pulchra emiraris — cum Hierosolyma caelestia videbis omniaque, quae continent, et ornatum eorum et venustatem rerum manu Dei vivi in eis procreatarum, quanto magis stupesces!

[36] * Si quando dixeris vel in mentem hoc tibi venerit et cogi- * p. 190. taveris: « Quid mihi faciendum est? Ego sum homo viribus infirmus, corpore tardus, at egomet ipse si operam darem, par essem angelis nec quicquam eis cederem i. e. laudarem et celebrarem eum continenter pro omnibus beneficiis eius » — certe in eorum dignitate apud Deum eris et ipsorum similis efficieris unaque cum eis eum collaudabis. [37] Neque enim tarditas corporis posthac erit neque imbecillitas virium neque peccatum amplius invenietur. Surges enim

[1] Cf. *Apoc.*, II, 10. — [2] Cf. *Ex.*, XVI, 7; *Ps.* LXII, 3; XCVI, 6; Is., XXXV, 2; IOH., I, 14; XI, 40; *Act.*, VII, 55. — [3] Videtur legendum esse: ⲉϫⲛⲛⲉⲧⲉⲕⲛⲁⲛⲁⲩ. — [4] Cf. *Apoc.*, XXI, 2, 10. — [5] Cf. *Gen.*, II, 4. — [6] Cf. *Eccli.*, XLIII, 1-37. — [7] Cf. *Ps.* VIII, 6 — [8] MATTH., XXII, 30; MARC., XII, 25; LUC., XX, 36. — [9] Cf. I *Cor.*, XV, 44; *Phil.*, III, 21.

* p. 191. in puteo * i. e. peccatum in animo non erit tibi adversarium. Cupido in carne non incenditur ne*que* oculus mulierem[1] intuetur neque quicquam mali meditaris. Ne*que* enim mas neque femina ibi est[2]; non est servus ne*que* liber[3] neque quisquam sub dicione hominis est, sed mas ut mas et femina ut femina sunt omnes simul in regno Christi. Non malitia neque appetentia mutua in ullius animo inhaeret. Ne*que* enim ex hoc tempore diabolus est ipsis insidians; sicut Adamo et Evae in paradiso laqueum posuit[4], cum in corpore adhuc essent
p. 192. psychico *et* auris vocem contumaciae funestam reciperet et * oculus fructum concupisceret arboris, qua Dominus Iesus eos vesci vetuerat [5].

38. Cui igitur peccare nunc quam haec audire dulcius est, is homo Deo eiusque bonis indignus est.

39. Si autem dominus alicuius domus nolet in ea habitare, nisi ante sordes eversae erunt, quo pacto eam intrabit vel in ea morabitur, si ab inimicis diruta erit? Et congruit cum eis [6] famulus stultus.

---

corpore *indutus* spiritali. Neque malae herbae inde ex hoc tempore in terra invenientur neque fons ex puteo scaturiet i. e. non invenietur peccatum, quod ex penetralibus pectoris prorumpat, ut tibi adverse-
* p. 191. tur. Neque * cupido naturalis in corpore tuo exardescet neque oculus per libidinem mulieris formositatem intuebitur neque improbum in ullum hominem consilium apud te invenietur. Neque mas neque femina ibi erit neque servus neque liber neque quisquam in ullius hominis potestate erit, verumtamen mares et feminae erunt in una condicione omnes in regno Christi. Non contumacia neque cupido in ullius ex eis animo in alterum gliscet. Neque ex illo tempore invenietur, qui eos decipiat, diabolus, sicut Adamum et Evam in paradiso corrupit, cum in corpore essent psychico et auris ipsis esset
* p. 192. oboediens orationi pravae, quae erat * seditio, et oculus concupiscens fructus arboris, qua Deus Iesus vesci eos vetuerat. [38] Cui igitur peccatum dulce est, oboedientiâ dulcius, ille homo propter suam pravitatem neque Deo neque bonis eius dignus est. [39] Si dominus domus potentia valens in domicilium quod immigrare recusabit, nisi sordes ex illo ante removerit et si minus [7], quo pacto

[1] Cf. *Gen.*, VI, 2; *Iob.*, XXXI, 1; *Eccli.*, IX, 5-9; XXV, 28. — [2] MATTH., XXII, 30; MARC., XII, 25; LUC; XX, 35. — [3] *Gal.*, III, 28. — [4] *Gen.*, III, 1-6. — [5] Ibid., II, 17. — [6] Legendum videtur ⲚⲘⲘⲀϤ = cum eo. — [7] Scl. non immigrabit.

40. Dico hoc : «Si Iesus aegre habitat in homine, qui curae sibi habet, ut cogitationes impuras et indecoras ex animo cottidie abluat, quo * tandem pacto versabitur omnino in corpore molli et * p. 193.
masculorum concubino et *in* iis, qui iumentis concumbunt, insuper autem *in* adulteris et scortatoribus et prostibulis omnibusque denique hominibus, quorum corpora spiritus immundi peccato corruperunt ac perdiderunt, quibus congruit etiam anima stulta omninoque prava ?»

41. Num igitur iustificatus es, cum peccatum in corpore tuo regnaverit [1]? Laudem Deo valde [2] tribuisti in corpore tuo [3], quod te sanguine suo [4] redemit ?

42. Si reprobantur ei, qui viscerum suorum [5] servi sunt, quemadmodum apostolus in extremis primae epistulae [6] eos increpitat, cum quidem causa sunt edendi et bibendi, sicut etiam alios dixit esse ventres pigros [7], quis tete non increpitabit, cum servus * sis * p. 194.
earum rerum, quas primi perpetrarunt [8] daemones ?

---

in illud intrabit, si ab inimicis dirutum erit ? Iam vero illud cum eo consentit servus ignarus.

[40] Significatio autem haec est : «Si post laborem grandem Iesus habitat in homine, cuius animus de cogitationum impurarum imaginationumque aegrotarum vacatione cottidie sollicitus est, * quo * p. 193.
prorsus pacto considet sive habitabit in corpore hominis immundi, luxuriosi, cum maribus concumbentis, bestiis mutis se miscentis, praeterea in adulteris et luxuriosis et scortis, omnibus denique, quorum corpora spiritus impuri peccato corruperunt et perdiderunt et cum quibus coniuncta est etiam anima stulta *et* prava?» [41] Num tu quidem iustificatus es, quippe cum peccatum in corpore tuo regnaverit? Et unde tibi laus Dei in corpore tuo, cum ipse te redemerit sanguine suo puro? [42] Si ii, qui ventribus suis se tradiderunt, reprobantur — apostolus enim eos a primo ad extremum reprehendit radicemque iudicii dixit esse cibum potumque — quodsi alios quoque dixit ventres pigros, gulosos, deliciis penitus deditos, quis inde est, * quin te reprehendat, si servus es mancipatus operibus, * p. 194
quae primi perpetrarunt diaboli?

[1] Cf. *Rom.*, v, 21; vi, 12. — [2] Vel : ubi (ⲦⲰⲚ). — [3] Cf. I *Cor.*, vi, 20. — [4] *Apoc.*, v, 9. — [5] Vel : ventrium suorum; cf. *Phil.*, iii, 19. — [6] *Rom.*, xvi, 18. — [7] *Tit.*, i, 12. — [8] Cf. *Gen.*, vi, 2 (?).

43. Quid integritatis vel quae virginitas non sunt in sanctis angelis ? Simul cum omni re vera, omni re honesta, omni re iusta, omni re sancta, omni re bona, omni laude, omni virtute, omni honore. Haec quoque ea sunt, quae homines in terra discunt.

44. Contra autem quae est impuritas vel quis est error et mendacium et improbitas, in quibus daemonia non versentur, ut ii, qui impudicitias eorum ceteraque opera abominanda committent, ipsis assimilentur et ut ii quoque, qui opera angelorum facient, eorum similes fiant?

* p. 195. 45. Si vino inebriati *sacris* litteris * impugnantur [1] — Deus ipse quidem illud eis dat, at non ad inebriandum dedit [2] — quo tandem pacto non impugnabuntur inebriati dementesque peccatis diaboli ? Nonne ipsae ita loquuntur [3] : « Inebriati sine vino [4] » ?

46. Si homines quidam dolent et ab animis suis reprehenduntur audientes id quod apostolus dixit [5] : « Non est enim regnum Dei esca et potus », licet (?) Deus procreaverit escam et potum neque tamen cupiditati inexplebili, tu, qui voluptate deciperis et de mensa daemo-

---

[43] Puritatis observatio et virginitas angelis praeceptae non sunt ; namque illi natura sua puri sunt ; tantummodo omnis res vera et omnis res casta et omnis res iusta et omnis res bona et omnis prosperitas et omnis virtus et omnis honor, illa omnia ut faciant praeceptum est hominibus, ut ipsis in terra excolantur. [44] Impudicitiae autem cum errore et fraude et turpitudine et omni improbitate non inveniuntur nisi in diabolis ; at quicumque impudicitiam eorum committet operibusque utetur perniciosis, iis assimilabitur et qui opera angelorum faciet, eorum similis fiet.

[45] Si inebriatis vino maledicitur a libris divinis — illud
* p. 195. quidem a Deo * permissum est, ut de eo sumatur moderate et satis, sed minime unquam ad inebriandum — quo pacto non maledicetur iis, qui peccatis diaboli inebriantur et decipiuntur? Nonne illi sunt, qui dicuntur sine vino inebriati? [46] In hominibus autem est, qui moleste ferat et affligatur, si audierit apostolum dicere : « Non est regnum Dei esca nec potus » — Deus tamen illa produxit hominibusque attribuit, (*quam* praeclarus est Deus, qui tribuit escam et

[1] Is., v, 11 ; Luc., xxi, 34 ; *Rom.*, xiii, 13 ; I *Cor.*, v, 11 ; vi, 10. — [2] *Ps.* ciii, 15 ; *Eccli.*, xxxiv, 35. — [3] Vel : nonne ipsi ita appellantur inebriati... ? — [4] Cf. Is., xxix, 9 ; li, 21. — [5] *Rom.*, xiv, 17.

niorum comedis et e calice eorum bibis [1], iram salvus effugies ? aut in regnum ingredieris ? Quid est in mensa illorum ? aut qua re instructa est nisi omni esca omnique potu letali ? * Et mirum est multos eam circumsedere, ita ut locus eam accumbendi non inveniatur. * p. 196.

47. Ne*que* ita simpliciter comedunt, verum quae in ea sunt, ea etiam rapiunt neque eis sufficiunt. Ii quidem, qui de mensa bonis referta comedunt, etiamsi modus eis vel satietas absit, tamen si venter repletus est et desiderium, acquiescant oportet. Contra vero qui comedunt sive comedent ex eis, quae in mensa daemoniorum sunt, iis neque modus est neque satietas; animus enim non repletur. Haec est ratio, cur homines surgere nolunt neque ab ea desistunt.

48. Et si quidam nomen Iesu proferunt esseque nolunt, quin de escis, quae in mensis illorum sunt, comedant vel etiamsi comederint nec ab eis recesserint, verbum *Dei* eos exaequabit cum canibus, qui cum feris [2] pascuntur animalibus * omnis generis, mortuis et prorsus putrefactis, ne dracone quidem excepto. * p. 197.

---

potum!) at exclusis eius incommodo et tota in delicias immersione — quo pacto tu iram effugies, cum deceptus sis et de mensa daemoniorum comedas et e calice eorum bibas, et regnum intrare voles? Quid vero in mensa illorum est et qua re ipsa exstructa est nisi cibo potuque letali? Quam mirum, quod ii, qui ei circumfunduntur, plurimi sunt, ita ut nemo ex eis locum, quo eam accumbat, vacuum inveniat!

[47] * Neque isti hominum instar de ea solum prehendunt, sed quae in ea sunt, avide rapiunt sine continentia, et cognovi, qui de mensa optimis rebus ornata prehenderent, eos temperantia acquiescere et saturari, et si ventres eorum repleti essent, desideria [3] satiata esse et iis utique, quae prehenderent, acquiescere. At eorum, qui de mensa diabolorum prehendunt, animus non acquiescit nec satiatur neque voluntas expletur noluntque de ea surgere nec eam relinquunt. [48] Si igitur quidam e christianis, qui nomine Iesu notantur, recusant prohiberi a cibo, qui in mensa illorum est, et qui de ea prehendunt nec ab ea abstinere volunt, verbum Dei eos comparat cum canibus * rabidis ac feris carnivoris sordidisque, quae *p. 196. * p. 19

[1] Cf. I *Cor.*, x, 20 et sq. — [2] i. e. aeque ac ferae; sed fortasse legendum est ⲉϩⲛⲟⲩϩⲟⲟⲣ ⲙⲛϩⲛⲑⲩⲣⲓⲟⲛ ⲉⲩⲟⲩⲱⲙ ⲉⲃⲟⲗ. — [3] Ad verbum : iecora.

49. Nonne dicitur [1] : « Laetentur caeli et exsultet terra » ? Fiat, fiat utique cum gaudio Spiritus sancti, quem invocant homines omnes, qui amant Deum !

50. Gloria sit Trinitati sanctae, Patri et Filio et Spiritui sancto universitati vitam danti et naturâ aequali nunc et omni tempore usque in omnia saecula saeculorum, amen ! Deus sancti patris nostri apa Sinuthii, miserere nostri et condona nobis multitudinem peccatorum nostrorum !

---

omnibus cadaveribus foetidis pascuntur, cum ea dilacerant, etiam ipsos dracones et animantia pestifera et mortifera.

[49] Dicitur : « Utinam laetentur caeli et exsultet terra ! » Fiat, fiat cum gaudio [2] et laetitia [3] Spiritus sancti per ora prophetarum ceterorumque amicorum Dei sincerorum loquentis ! [50] Gloria sit Trinitati sanctae, Patri et Filio et Spiritui sancto vitam danti et aequali nunc et omni tempore et in saecula saeculorum, amen ! amen ! O Deus patris nostri abbatis Sinuthii, miserere nostri et ignosce nobis peccata nostra plurima !

* p. 198.

82. * Apocalypsis Sinuthii.

I

Vi]di de sanctis aliquem, surrexit, eos salutavit, fausta eis precatus est. Eum audivi proferre verba, quae qualia essent ignoravi. Quidam vero e (?) sedentibus narraverunt eum fausta eis precari lingua hebraea. Interrogavi autem : « Hic quis est? » « Hic, inquiunt, Paulus est apostolus. Idem faustis solet prosequi ominibus eos, qui primi erunt in congregatione litteras sacras recitante [4] ». Profiteor vobis aliquos me videre [5] cum hilaritate et gratia recitantes. Cuius est volumen, eum soleo videre [6] fausta in me congerere plurima. Atque animas eorum videre soleo [7] fulguribus, quae ex verbis Dei procedunt, illuminari sicuti solet in ferro fieri, si in ignem inicitur et conflatus vehementer ardet.

Hanc vidi rem mense epiphi : Aquam vidi infra firma[men]tum *pendulam*, cum homines in terris essent dolentes et maerentes,

[1] *Ps.* xcv, 11. — [2] Lege كاستبشار (M. Horten). — [3] Lege ومسرة — [4] Vel : recitantes (?). — [5] Vel : vidisse. — [6] Vel : eum videbam. — [7] Vel : videbam.

quoniam de aqua cupiebant bibere. Hominem solis instar splendentem vidi supra eam *i. e. aquam* stare eis*que* dare recusantem. Saepenumero autem id mihi ostensum est eos, qui in terra erant, rogare, eum *autem,* qui supra aquas erat, eis officere. Dispositionem aquae saepe vidi, verum hac eam indole esse numquam sicut tunc vidi.

* Cum vero ad mensem mes[o]ri pervenissemus, hominem *illum* * p. 199. vidi aquam carptim demittere. Posthac magnum vidi vaporem calidum demitti [1] post aquam. Delapsus est in homines et bestias. Quaesivi ex eis : « Quid est hic ignis »? Responderunt mihi : « Lues quaedam est haec et mors ».

Illis diebus homines quidam me adierunt de iumentis suis, quod forsitan effascinata essent. « Minime vero, inquam, sed manus est Dei! »

[De] viso *illo*[2] exquisivi : « Qui sunt hi, qui lugent et de aqua postulationem afferunt? » Qui me haec docebat, is : « Hi, inquit, sunt angeli, qui in terram dominantur. Ille vero, qui solis instar splendet, ipse est angelus aquarum. Nulla enim res procreata sine Dei providentia est, verum universitas e decreto Dei ab angelis gubernatur ».

Dico vobis : « Quodam die ostensus mihi est presbyter, cuius anima e corpore edebatur; quem angeli comprehenderunt immisericordes, differentes inter se vultibus, terribiles, fumos ex oribus evomentes igneos ». Dico vobis : « Erant quidam inter eos bicipites [3], dentibus ei *i. e. animae* infrendentes. Postquam autem e corpore educta est, vidi... [..] ..... igneum in collo eius[4] manibus pedibusque colligatis. * Ad caudam alicuius. [.] .. [..] eam alligaverunt *et* in occiden- * p. 200. tis *regiones* eam coëgerunt. Omnino non induxerunt eam ad illum, qui eam procreaverat, adorandum, sed in profundum locorum infernorum eam deiecerunt *et* principes tenebrarum ea potiti sunt». Profiteor vobis : « Sicut cadaver, in quod aves ac ferae solent irruere, ita universum conspexi aëra diversorum vultibus *spirituum* plenum illam*que* animam incessentium ». Quae cur huic animae facerent, quaesivi, quae hoc magno ecclesiae munere fungebatur. « Hic, inquiunt, presbyter, quem bona ecclesiae cum scortis consumere videbas, iudicium Dei esse prorsus oblivioni dedit. Huiusmodi homines numerati sunt cuncti inter eos, qui mala patraverunt plurima. »

Praeterea quodam die inclamatus sum : « Aspice et vide hanc

[1] Vel : sursum ferri. — [2] Vel : Per visum *illud.* — [3] Vel : fronte ancipites. — [4] i. e. animae illius.

animam, quae quidem e corpore educetur». Aspexi et vidi aliquem e nostris[

II

..].post eum, qui gladium [acu]tum manu sua tenebat; quem in pectus hominis infixit. Cum autem eum infixisset, homo ia[cta]tiones ore edidit. Qui circa eum erant, mente eum alienatum esse existimaverunt; ferro eum vincire constituerunt. Illa in condicione dies transegit duos. Posthac e corpore eductus est [1], cum lingua eius duobus fere palmis ex ore eius exserta esset *et* hamus igneus e naribus eius promineret. Naribus eum consuevisse dixerunt anhelare.
* p. 201. Qui post eum incesserunt, ei omnino non concedebant, * ut diceret : «Miseremini mei». Cum flamma ignea ex ore eius prodiret, dixerunt : «Iactationes consuevit ore suo emittere». Vidi eos ipsum humo inhaerentem canis instar auferentes. Chirographum eius recitaverunt, cum angelus eius furta ei exprobraret et pollutiones, quae commiserat et vidi eos (?)....singulos (?). Vidi autem [flammam] igneam. Egressa *et* illam animam [secuta] est..[....] deorsum in locum quendam profund[issi]mum, cuius profunditas et calor magna erant. Porro autem ei, qui in domicilio il[lo] erant, mihi ostensi sunt claudi, caeci,..[....]. Dictum est mihi : «Istae animae, quas vides, homines sunt, qui [.....]....., pessumdedit [.....]». Tum autem monstratum est mihi..[.]...[...]..erat ignis;.[ ]..e caelo [.....]..Anima quaedam ex [......]......monachus. [ ].
* p. 202. Virtus circumit [ ] quaerit : «Quae est haece anima?» * [Dic]tum est mihi : «Haece [anima] est [mel]itiana quaedam.......[...] multitudo ex [....].opera eius ferrea.........-

III

Recto

contemptor iactator [et] conviciator. Han[c] au[di]vi sententiam : «Eicite eos in tenebras exteras, ibi erit fletus et stridor dentium» [2]. Profiteor vobis : «Factum est ali[quo di]e, cum cont[io di]missa esset — lux enim orta erat — sanctos [vid]i intrasse..[..]...[..]..sicuti [homines]solent facere, si contio dimittitur, cum vultus eorum essent instar l[uminis], rubicundi sicut..[......] ra[di]os e [se]
* p. 203. emittentes, vestimenta eorum splenderent [veluti] * nix. Omne[s,

[1] i. e. obiit. — [2] MATTH., XXII, 13.

qu]i cucurrerant ad...[.......].. eos (?) legerunt audire eos consueverunt. Vidi autem du[os, qui], fratres erant,..... [...] bene eis dixerunt. Cum autem bene eis iam dixissent,...[.]... Movi... [...]habetis...[...] qui sancti sunt, sedent[

Verso

]......[.....]eum ipsu[m.].[.].[...]eum, quod non[ ] alii et].[......].[.]dolores per [ ] in quo sumus. Extremum autem [ ] paenitentia et [ ]...[.....]....[.]. Perierunt, cum [id, quod] scriptum est, in eis evenisset....]voluptatem ferens .....]. [...].[ ].... aliae animae, quae corpore [exierant] ....[ ] aliquod opus[....] * habet[ ]magnus angor.[ ].dolor eius.. * p. 204. [ ]..[...].....[ ]....[ ] iram, quam ego[ ]autem : Quae est haec anima [ ] aetas [ ]quod anima[.]..[ ].[..] .....[ ].].....[

83. Testamentum Sinuthii.

sive] mas *est* sive femina, universa haec a Deo emolumenta in eos delabentur.

Quicumque tempore illo vel etiam praesenti impedient, quominus omnia verba, quae illo in volumine scripta sunt, legantur, vel ea quae in hac epistula scripta sunt et in ceteris[1], quas scripsimus aut etiam scribemus e die hodierno, et qui impedient, quominus tempore illo vel etiam praesenti legantur, in eos hae imprecationes recident universae.

In omnes vero omnium temporum *homines,* qui *id* agent, ut legantur, aut qui ea audire, observare, exsequi volent, cunctae hae delabentur precationes faustae.

Propterea non modo praecipiam fratribus, * qui nobiscum con- * p. 205. cordes sunt, ut verbis universis, quae in volumen illud scribemus et quae in omnibus epistulis scripta sunt, curam adhibeant, verum eis etiam praecipiam, ut vestimenta mea conservent, quae saepe laceravi, ad extremum in duas partes scidi sane quam dolore exanimatus. Quapropter iis fratribus, qui nobiscum concordes *et* qui diebus mortis meae *superstites* erunt, praecipiam, ut vestimenta mea dilacerata conspectui eorum, qui post nos venturi sunt, reservent et

[1] Vel : et cetera, quae.

omnium, quicumque tempore illo vel etiam praesenti omnia ea audient verba, quae in volumine illo scripta sunt aut quae scripta sunt in epistulis, quas scripsimus vel quas scribemus. Et interrogabitur : « Quid sibi volunt vestimenta ista dilacerata et omnia ista verba scripta et universae istae imprecationes? » Et respondebitur : « Quia is, inquient, qui totam prospicit terram et qui omnibus temporibus ac diebus singulis totum orbem terrarum saepenumero occulte peragrat i. e. Deus, etiam nos quondam occulte prospexit et nostras communitates saepenumero peragravit nulli manifestus homini neque mari neque feminae nisi forte angelis suis solis ».

Et dicetur : « Illo tempore magna nobis ira Dominus graviter iratus est multoque cum furore vultum suum a nobis avertit, ut magnas calamitates nobis, quia in eum peccaveramus, et afflictiones malas inferret ac tentationes vehementes, cum nos sicut leo rapiens *et* rugiens [1] satanas invaderet eosque, qui nobiscum erant, percuteret ».

* p. 206. * Et dicetur praeterea : « Cum paenitentiam ageremus multo cum maerore, cum fame et siti et fletu, cum lacrimis simulatione vacuis, vultum suum a nobis Deus avertit [2] et iram suam retroëgit, ne nos tentationibus magnis *ac* malis castigaret, universamque a nobis abstulit exsecrationem magnaque cum misericordia nostri misertus insignique favore nos prosecutus est manum suam *tamquam* baculum super nos misericordia commotus adducens, cum ad sanctitatem nos excoxisset, quemadmodum scriptum [3] est : « Adducam manum meam super te et te excoquam » ad munditiam, atque etiam homines pravos et ultra omnem hominem flagitiosos e nobis abstulisset, quemadmodum scriptum [4] est : « Perdam vero non oboedientes et omnes impios e te auferam superbosque universos et iudices tibi statuam tuos sicut prius atque consiliarios tuos sicut in principio ».

Et dicetur : « Hoc quidem pacto nobis Deus fecit, quoniam servi eius sumus, et cum misericordia nos Dominus castigavit et cum caritate nos obiurgavit, quia filii eius sumus *et* ipse pater noster est ».

Et ii, qui praesenti vel etiam illo tempore curam impendunt vel impendent omnibus, quae in hoc volumine scripta sunt, verbis, pronuntiabunt : « Exsecratus esto, inquient, is, qui dicet : « Vana

[1] *Ps.* XXI, 14; cf. I Petr., v, 8. — [2] Exspectatur potius : vultum suum nobis Deus advertit. — [3] Is., I, 25. — [4] Is., I, 25 et sq.

sunt verba ista vel imprecationes vel bona omina, quae iste profert » et « in neminem *ista,* quemadmodum ipse eloquitur, irruent » ! Omnes hae in eos tempore illo vel etiam praesenti recident imprecationes ».

Et dicetur : « Qui autem increduli sunt Dominum haec omnia nobiscum fecisse, ii mortui sunt et * ab eo, qui eos procreavit, alienati, * p. 207. quemadmodum scriptum est[1] : « Deus non est *deus* mortuorum, sed viventium ».

Quid vero est : « Deus non est *deus* mortuorum, sed viventium » ? Nonne igitur omnes, qui mortui sunt, a Deo alieni sunt? aut qui vivi sunt, omnes ad Deum referuntur? Deus si solorum *deus* viventium est, mortuorum tamen non est, quonam pacto dixit apostolus[2] : « Nemo nostrum sibi vivet, et nemo nostrum sibi morietur. Si enim vivemus, Domino vivemus, si contra moriemur, Domino moriemur. Ergo si vivimus, si morimur, Domini sumus. Ideo enim Christus mortuus est *et* revixit, ut in mortuos et in vivos dominaretur » ? Quare cum : « Deus, inquit, non est *deus* mortuorum, sed viventium », dicit : « Deus non est *deus* eorum, qui in scortatione et pollutione et furto et mendacio et periurio et lite et rixa et invidia et odio et simultate et perfidia omnique re mala mortui sunt ». Et hac ratione in orationibus suis Dominus Iesus dixit : « Deus non est *deus* mortuorum, sed eorum, qui in castitate et virginitate et honestate et iustitia et veritate omnique re bona vivunt ».

Et qui in praeceptis huius voluminis perstabunt adhibendo ipsis curam tempore illo aut etiam praesenti, ii respondebunt et « Deus, inquient, Deus, quicumque huius voluminis praecepta celabunt vel unum ex universis his praeceptis indignabuntur, eis inferet Dominus totam exsecrationem scriptam in universis litteris *sacris* et in hoc volumine scriptam in terra degentibus et Dominus in eos iram furoris sui * colliget[3] die irae deicietque eos in fornacem ignis magnâ * p. 208 secundum litteras *divinas* flammâ ardentem ».

Homines non dormientes cito audient se inclamantes. Ac dormientes etiam, si identidem eos inclamabis, de somno surgent. Mortui vero, qui sub terra occultati sunt vel in sepulcris collocati, per se non audient, licet magna voce multis*que* verbis inclamentur, sed vix vere sui compotes fient novissimâ tubâ eo die, quo *tubâ* canetur et mortui *re*surgent incorrupti[4].

[1] Matth., xxii, 32. — [2] *Rom.*, xiv, 7 et sq. — [3] *Iob.*, xvi, 10. — [4] I *Cor.*, xv, 52.

Tales etiam sunt homines studio prudentes per intellegentiam et Dei amorem. Cito audient sacra Domini Iesu nostri praecepta ab iis, qui Dominum veriti doctrinis eos impertient. Et qui oblivione et animi obduratione paululum perstricti sunt — hi quoque alii, si semel et iterum ***sacris*** litteris instituentur ab eis, qui ipsos gubernant, se expiabunt [noxis suis

*ADDITAMENTA. * p. 209.

I. DE ABBATE MOYSE.

]in cellis. Ne prorsus inter vos offenderitis. Observate leges!

Dixit : «Deus quendam esse scit hominem, qui............... porro esse hominem quendam, qui dicebat : «Numquam corpus meum polluam», sed se satiabat sine nobis cogitationibus suis vel oboedientia(?).

Proinde a voluntate cavete prava. Magnae *enim* sunt in hominum visceribus commotiones atque perturbationes. Quare vigila, o homo, qui morbis scis mederi diaboli, vere medice, qui diaboli perspicis morbos, cum nascuntur [1], antequam plane invaluerunt, et eos eorumque remedia primus eis significas, vere medice, qui singulis quae conveniant remedia scis morbis.

Praeterea nolebat ullum hominem allevare fratres semina portantes vel alias res vel etiam lateres praeter eos, quos constituturus esset quos*que* fideles esse sciret; domuumque praesidibus dicebat : «Nullum sinite fratrem ulla in re allevare fratres!» Eo *autem* tempore, quo poterat, ipse allevabat fratres, ut lateres sibi tollerent, ipse constituebat, quis ex eis cessaturus sive* destiturus esset in omni * p. 210. re. Si duo erant, alium cum eis mittebat respectu legis.

Dictitabat : «Maioribus *et* minoribus natu convenit observare leges». Multi monachi ei dicere solebant : «Tu es apa (= *abbas*)!» et : «tu es apa (= *abbas*) Sinuthius!» Solebat respondere : «Minime, verum alumnus eis esse studebo».

Pro sua autem ingenuitate et animi integritate et ratione, qua omnibus, quae scripta erant, operam dabat, dicere consueverat : «Si aliud exstat scriptum praeceptum, afferte mihi!»

Dicebat : «Hominem decet [2] operari, quoad [3] animus eius acquiescat».

[1] Vel : *et* eis mederis (I. Leipoldt), antequam omnino exstiterunt. — [2] Vel : oportet. — [3] Vel : ut (?).

Diebus autem suis pro sua e fratribus et ipsorum ex ipso percepta delectatione et pro eo pacto, quo ipsi adhaerebant, multis fratribus ad se congregatis dicebat e contione egressus aut etiam vespere sedens, cum disserenti[1] ei circumfusi essent — multis cottidie dicebat : « Quot hodie *sanctarum litterarum* recitastis partes? » Respondebant ei unus : « Duas partes, mi pater », alter : « Tres », alius : « Quinque », alius : « Octo », alius : « Decem », et his plura, aliquis etiam : « Ad opus quoddam hodie missus sum; multa legere non potui ». Dicebat : « Oboedientia est *pia* recitatio ».

Dicebat etiam : « Temperate vobis in aqua bibenda. Bibite per pocilla singula, dum pectora vestra refrigerentur. Ac ne biberitis binos calices alterum post alterum. Neque expediunt calices, si grandes sunt ».

Multis adulescentibus ad labores paratis et pueris dicebat : « Quos
* p. 211. singulis vesperis bibatis calices, numerate! »* Mane eos interrogabat aut ipsi dicebant laetantes ipso cum eis laetante unus : « Vesperi non potavi », alius : « Duos calices », alius : « Quinque », alius : « Decem calices », alius : « Pudore, mi pater, deterrebor eos enuntiare ». « Tu eos, aiebat, enuntiato! » Si eos enuntiaverat, dicebat ei : « Alias aliter. Tu *vero* eos numera », cum hae essent eius curae. Et illi ipsi etiam hunc in modum *faciebant.*

Enixe autem etiam operabantur et quod manuum opus ad officium facturi essent, ei cottidie significabant. Dictitabat : « Homo, qui suae manuum operae indiligens est, ne monachus quidem fieri poterit ».

Fratres nolebat ullam tangere[2] rem in cenationem ingredientes, dum assiderent, *velut* scutulam vel lancem olitoriam removere aut cibum[3] sibi appensum deferre et ante se ponere, offensionis *vitandae* causa, nisi praesidem domus aut vicarium[4] necessitatis causa.

Omnia verba, quae ex ore eius excidebant, digna erant, quae conservarentur, et digna, quae notarentur, etiam res minut*issima*, quam fecit sive edixit, similiter ac patrum nostrorum, qui universas societates fundarunt, qui quidem nullam sine Deo faciebant rem, sed ad voluntatem Dei, qui in eis erat ab infantia, omnem rem agebant. Huius autem modi ipse quoque erat. Nihil agebat sine Deo divina meditans die ac nocte instar hominis panem esurientis et

[1] Vel : legenti. — [2] Lege ϫⲉϩ- (I. Leipoldt). — [3] Vel : placentam sibi appensam. — [4] Ad verbum : secundum.

aquam sitientis. Dicere consueverat : « Si homo voluntatem Dei exsequitur, animus eius acquiescit ».

*O hominem, qui nesciebat, quid in mensa ante se appositum esset, * p. 212. ventrem domuit ab initio usque ad consummationem! Nec animadvertebat, utrum cibus in mensa appositus esset an oliva; nec profecto manducabat, ut ea cogitaret. « Ad mensam, inquit, *ita* soleo accedere, ut daemones non patiar scire, quid manducaturus sim, quoniam multi exspectant totum diem sollicitati, utrum hanc rem manducaturus an contra ab ea abstenturus sim ».

Ad habitationem hominum aegrotorum extremis suis annis non accessit, ut aliquid comederet. Eosque degit pessime affectus *et* infirmus.

Saepenumero fratres si paululum lentis nacti erant, panem suum madefactum reponebant usque ad tempus matutinum aut etiam dimidiam eius partem in hiemem reservabant minime *eam* sumentes. Praeterea si frustum invenerant, eo*dem* modo faciebant, vel olera esculenta vel pultem, si foris allata erat. Quoniam eum viderant sic facere, ipsi quoque hanc rationem inierunt [1].

Accidit quodam die, ut frater adulescentulus quoddam cibariorum residuum comederet *et,* quoniam patrem nostrum procul conspexerat, abstergens se abiret. Cum vero ad eum pervenisset, sua sponte locutus est : « Cibariorum quoddam comedi residuum, mi pater; vidi te, extimui, abii abstergens me, ne tu cognosceres ». Respondit ei pater noster : « Equidem ipse, mi Domine, tempus cibaria comedendi nondum nactus sum ». Suffusus pudore frater capite demisso : « Ignosce mihi, inquit, mi pater! » Qui ille ipse annus erat, quo obdormivit. Non quod comedere prohiberet homines, verum operatio eius, quae perpetuo* perdurabat, et ea ratio, quod ne unum * p. 213. quidem diem otium sibi concedebat, nos dissolutionem nostram et quietis in omnibus rebus cupiditatem, velutsi diabolus non exsistat, considerantes condemnant.

Ac saepenumero de nobis mirabatur animos nostros videns in nostram ipsorum salutem incumbentes intraque se suspirabat, dum : « Quo pacto, inquit, hi salvi fient? »

Inveniebas eum domi suae sedentem, cum terror eius in singulos eo loco, quo erant, incideret, velutsi in eos invaderet, et singuli eum intuerentur ob terrorem eius et figuram Deo similem.

[1] Vel : ipsi quoque haec ita fecerunt (I. Leipoldt).

Frater autem eius, qui ipso maior erat, quodam die escae, quae die sabbati superfuerat, paulum comedit. Prodiit *et* : « Qualis, inquit, est hodie haec esca? » Respondit ei : « Tu quidem occasionem escae sumendae repperisti, ut interrogares, qualis esset ».

O hominem totum mellis instar dulcem *et* in quo intellegentibus nihil inesset fellis! Non autem intellegentibus filius Dei amarus exstitit, et in os eius voces etiam ingesserunt velut infernas, cum scriptum sit [1] : « Stultus non amat se reprehendentem ».

O solacium Aegypti suae aetatis, apa Moysen! Heu, heu magnam illam silvam (?) non interituram, quae exstitit nobis simul et intellegentibus eum et ignorantibus.

Cum obdormisse eum audissent singularum urbium principes
* p. 214. *uxoresque eorum et filii filiaeque ac servi etiam — et multi ex eis nihil faciebant sine eius consilio ob modum *singularem*, quo ea, quae eis dicebat, ad verum solebant perduci, imprecationes faustae vel infau[stae

II. SPONSIO MONASTICA.

Iuro vobis hodie, sicuti virginitatem tuam et castitatem et coniugium servasti, N. N. servaturam esse virginitatem suam et coniugium et castitatem.

[1] Cf. *Prov.*, XII, 1

INDEX BIBLICUS.

A. — VETERIS TESTAMENTI

B. — NOVI TESTAMENTI.

INDEX NOMINUM.

INDEX RERUM.

INDEX CAPITUM.

ADDITAMENTA.

INDICES.

Imprimerie Orientaliste, s.p.r.l., Louvain (Belgique)